곱셈구구

교과 과정 완벽 대비
수학 전문가가 만든 연산 교재
다양한 형태의 문제로 재미있게 연습하는 원리셈

지은이의 말

수학은 원리로부터

수학은 구체물의 관계를 숫자와 기호의 약속으로 나타내는 추상적인 학문입니다. 이 점이 아이들이 수학을 어려워하는 가장 큰 이유입니다. 이러한 수학은 제대로 된 이해를 동반할 때 비로소 힘을 발휘할 수 있습니다. 수학은 어느 단계에서나 원리가 가장 중요합니다.

수학 교육의 변화

답을 내는 방법만 알아도 되는 수학 교육의 시대는 지나고 있습니다. 연산도 한 가지 방법만 반복 연습하기 보다 다양한 풀이 방법이 중요합니다. 교과서는 왜 그렇게 해야 하는지 가르쳐 주고 다양한 방법을 생각하도록 하지만, 학생들은 단순하게 반복되는 연습에 원리는 잊어버리고 기계적으로 답을 내다보니 응용된 내용의 이해가 부족합니다.

연산 학습은 꾸준히

유초등 학습 단계에 따라 4권~6권의 구성으로 매일 10분씩 꾸준히 공부할 수 있습니다. 원리와 다양한 방법의 학습은 그림과 함께 재미있게, 연습은 다양하게 진행하되 마무리는 집중하여 진행하도록 했습니다. 부담 없는 하루 학습량으로 꾸준히 공부하다 보면 어느새 연산 실력이 부쩍 늘어난 것을 알 수 있습니다.

개정판 원리셈은

동영상 강의 확대/초등 고학년 원리 학습 과정 강화 등으로 교과 과정을 완벽하게 대비할 수 있도록 원리와 개념, 계산 방법을 학습합니다. 단계별 원리 학습은 물론이고 연습도 강화했습니다.

학부모님들의 연산 학습에 대한 고민이 원리셈으로 해결되었으면 하는 바람입니다.

지은이 천종현

원리셈의 특징

원리셈의 학습 구성

한 권의 책은 매일 10분 / 매주 5일 / 6주 학습

원리셈의 시나브로 강해지는 학습 알고리즘

초등 원리셈은

시작은 원리의 이해로부터, 마무리는 충분한 연습과 성취도 확인까지

체계적인 학습 구성

쉽게 이해하고 스스로 공부!
실수가 많은 부분은 별도로 확인하고 연습!
주제에 따라 실전을 위한 확장적 사고가 필요한 내용까지!
원리로 시작되는 단계별 학습으로 곱셈구구마저 저절로 외워진다고 느끼도록!

원리셈 전체 단계

키즈 원리셈

5·6세	
1권	5까지의 수
2권	10까지의 수
3권	10까지의 수 세어 쓰기
4권	모아 세기
5권	빼어 세기
6권	크기 비교와 여러 가지 세기

6·7세	
1권	10까지의 더하기 빼기 1
2권	10까지의 더하기 빼기 2
3권	10까지의 더하기 빼기 3
4권	20까지의 더하기 빼기 1
5권	20까지의 더하기 빼기 2
6권	20까지의 더하기 빼기 3

7·8세	
1권	7까지의 모으기와 가르기
2권	9까지의 모으기와 가르기
3권	덧셈과 뺄셈
4권	10 가르기와 모으기
5권	10 만들어 더하기
6권	10 만들어 빼기

초등 원리셈

1학년	
1권	받아올림/내림 없는 두 자리 수 덧셈, 뺄셈
2권	덧셈구구
3권	뺄셈구구
4권	□ 구하기
5권	세 수의 덧셈과 뺄셈
6권	(두 자리 수)±(한 자리 수)

2학년	
1권	두 자리 수 덧셈
2권	두 자리 수 뺄셈
3권	세 수의 덧셈과 뺄셈
4권	곱셈
5권	곱셈구구
6권	나눗셈

3학년	
1권	세 자리 수의 덧셈과 뺄셈
2권	(두/세 자리 수)×(한 자리 수)
3권	(두/세 자리 수)×(두 자리 수)
4권	(두/세 자리 수)÷(한 자리 수)
5권	곱셈과 나눗셈의 관계
6권	분수

4학년	
1권	큰 수의 곱셈
2권	큰 수의 나눗셈
3권	분모가 같은 분수의 덧셈과 뺄셈
4권	소수의 덧셈과 뺄셈

5학년	
1권	혼합 계산
2권	약수와 배수
3권	분모가 다른 분수의 덧셈과 뺄셈
4권	분수와 소수의 곱셈

6학년	
1권	분수의 나눗셈
2권	소수의 나눗셈
3권	비와 비율
4권	비례식과 비례배분

초등 원리셈의 단계별 학습 목표

원리와 연습을 모두 잡는 원리셈!!

학년별 학습 목표와 다른 책에서는 만나기 힘든 특별한 내용을 확인해 보세요.

1학년 원리셈

모든 연산 과정 중 실수가 가장 많은 덧셈, 뺄셈의 집중 연습
여러 가지 계산 방법 알기
덧셈, 뺄셈의 관계를 이용한 '□ 구하기'의 이해

2학년 원리셈

두 자리 덧셈, 뺄셈의 여러 가지 계산 방법의 숙지와 이해
곱셈 개념을 폭넓게 이해하고, 곱셈구구를 힘들지 않게 외울 수 있는 구성
나눗셈은 3학년 교과의 내용이지만 곱셈구구를 외우는 것을 도우면서 곱셈구구의 범위에서 개념 위주 학습

3학년 원리셈

기본 연산은 정확한 이해와 충분한 연습
곱셈, 나눗셈의 관계를 이용한 '□ 구하기'의 이해
분수는 학생들이 어려워 하는 부분을 중점적으로 이해하고, 연습하도록 구성

4학년 원리셈

작은 수의 곱셈, 나눗셈 방법을 확장하여 이해하는 큰 수의 곱셈, 나눗셈
교과서에는 나오지 않는 실전적 연산을 포함
많이 틀리는 내용은 별도 집중학습

5학년 원리셈

연산은 개념과 유형에 따라 단계적으로 학습 후 충분한 연습
약수와 배수는 기본기를 단단하게 할 수 있는 체계적인 구성

6학년 원리셈

분수와 소수의 나눗셈은 원리를 단순화하여 이해
비의 개념을 확장하여 문장제 문제 등에서 만나는 비례 관계의 이해와 적용
비와 비례식은 중등 수학을 대비하는 의미도 포함. 강추 교재!!

2학년 구성과 특징

1권~3권에서 두 자리 수 덧셈과 뺄셈, 4권~6권에서는 곱셈과 나눗셈의 개념을 공부합니다. 덧셈과 뺄셈은 원리를 이용한 여러 가지 가로셈의 계산과 속도를 위한 세로셈의 계산을 다양한 형태로 적절히 배분하였습니다. 나눗셈은 3학년 내용이지만 6권에서 나눗셈의 개념을 활용하여 곱셈구구의 연습이 되도록 구성했습니다.

원리

수 모형, 동전 등을 이용하여 원리를 직관적으로 이해하고 쉽게 공부할 수 있도록 하였습니다.

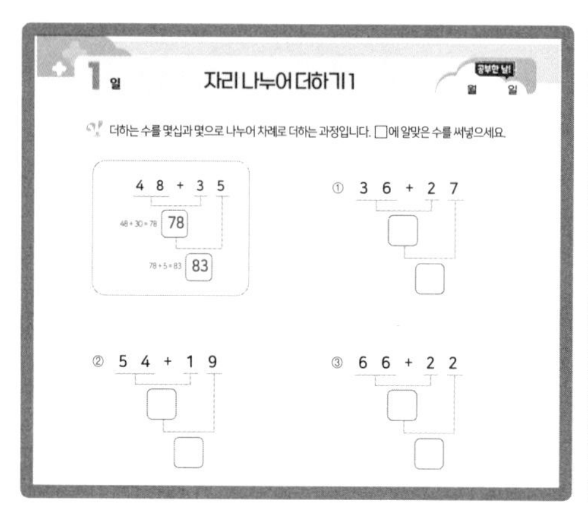

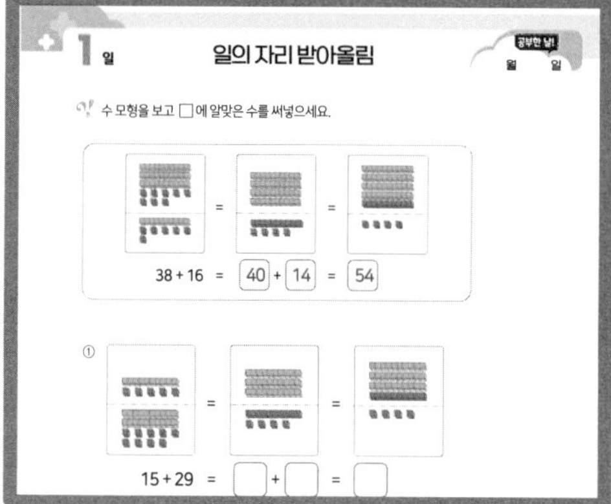

다양한 계산 방법

다양한 계산 방법을 공부함으로써 수를 다루는 감각을 키우고, 상황에 따라 더 정확하고 빠른 계산을 할 수 있도록 하였습니다.

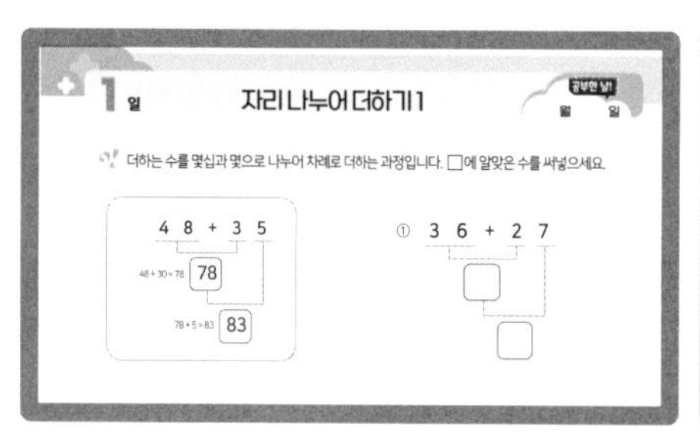

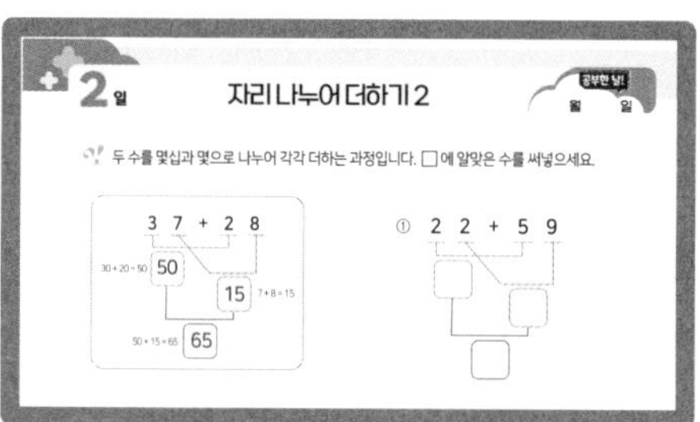

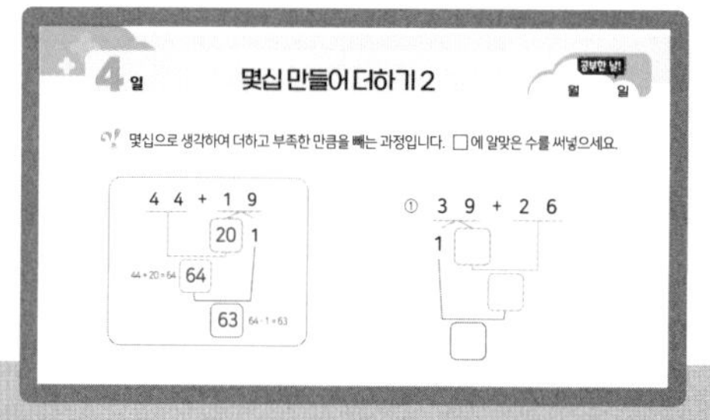

연습

학습 순서를 원리를 생각하며 연습할 수 있도록 배치하였고, 이해를 도울 수 있는 소재 및 그림과 함께 연습한 후, 숫자와 기호로 된 문제도 꾸준히 반복할 수 있도록 하였습니다

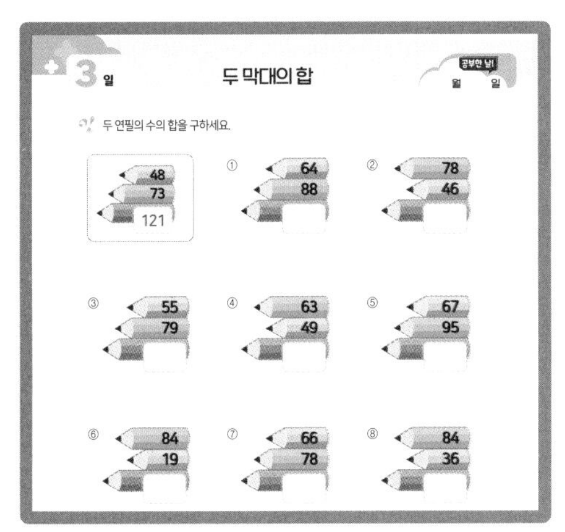

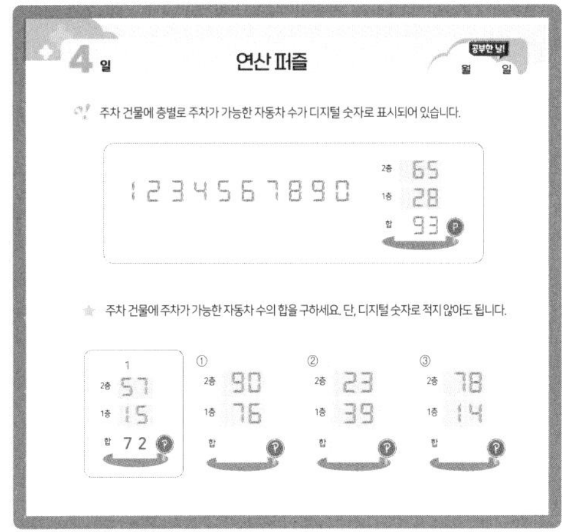

도전! 계산왕

주제가 구분되는 두 개의 단원은 정확성과 빠른 계산을 위한 집중 연습으로 주제를 마무리 합니다.

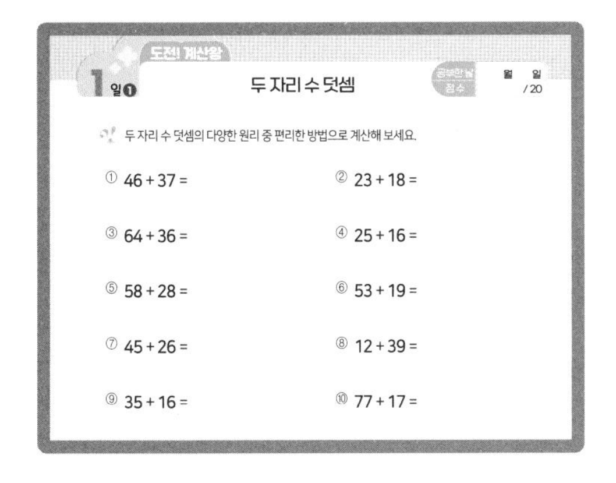

성취도 평가

개념의 이해와 연산의 수행에 부족한 부분은 없는지 성취도 평가를 통해 확인합니다.

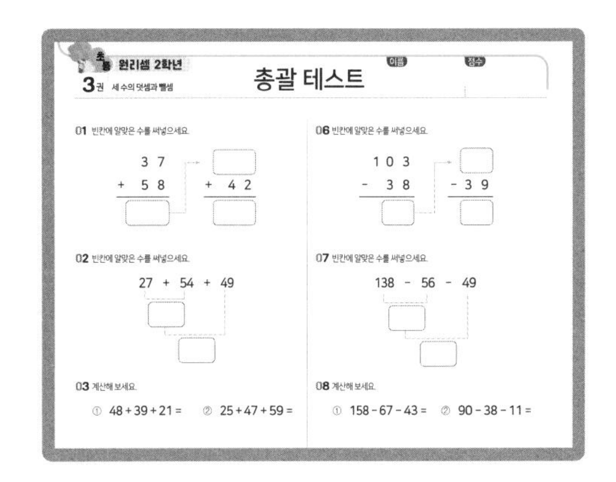

책의 사이사이에 학생의 학습을 돕기 위한 저자의 내용을 잘 이용하세요.

단원의 학습 내용과 방향

한 주차가 시작되는 쪽의 아래에 그 단원의 학습 내용과 어떤 방향으로 공부하는지를 설명해 놓았습니다.
학부모님이나 학생이 단원을 시작하기 전에 가볍게 읽어 보고 공부하도록 해 주세요.

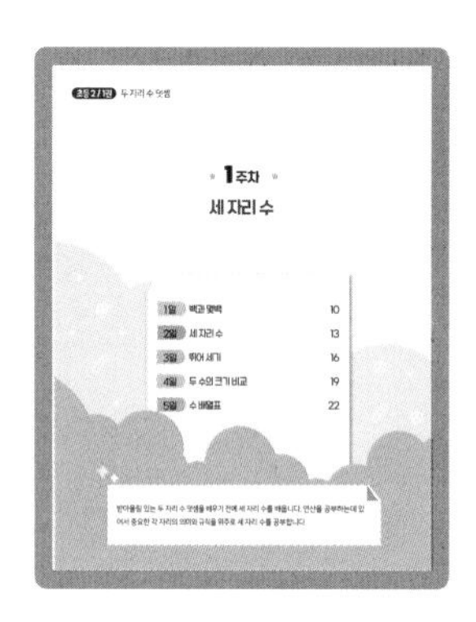

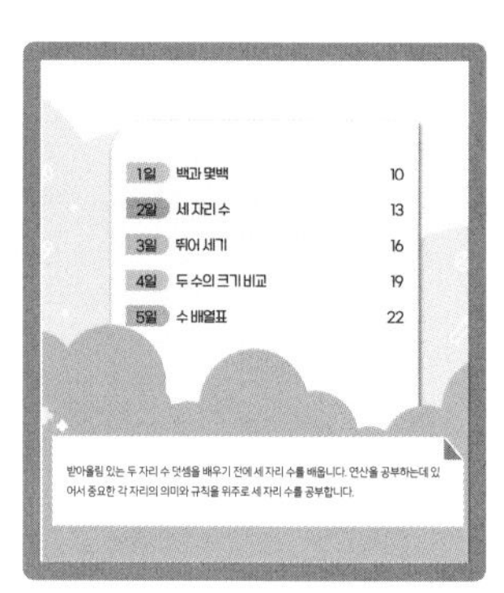

이해를 돕는 저자의 동영상 강의

처음 접하는 원리/개념과 연산 방법의 이해를 돕기 위한 동영상 강의가 있으니 이해가 어려운 내용은 QR코드를 이용하여 편리하게 동영상 강의를 보고, 공부하도록 하세요.

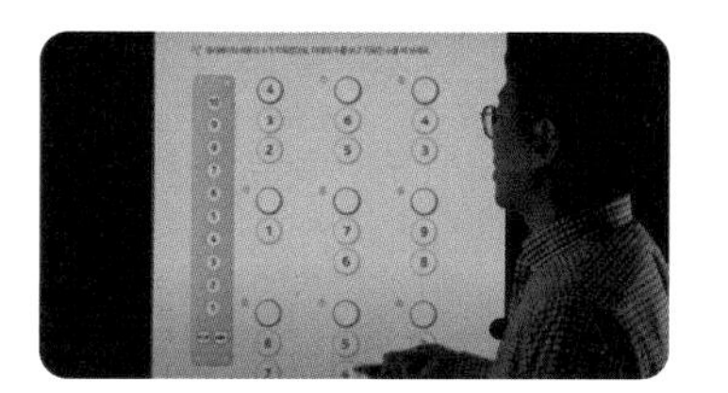

학습 Tip

간략한 도움글은 각 쪽의 아래에 있습니다.

천종현수학연구소 네이버 카페와 홈페이지를 활용하세요.

카페와 홈페이지에는 추가 문제 자료가 있고, 연산 외에서 수학 학습에 어려움을 상담 받을 수 있습니다.

네이버에서 천종현수학연구소를 검색하세요.

1 주차

2의 단, 4의 단

곱하기 0과 1을 알고, 2의 단, 4의 단 곱셈을 외우도록 합니다. 그림을 보고 한 문제, 한 문제 곱셈구구를 하면서 해결하여 곱셈구구를 외울 수 있도록 한 후, 곱셈구구표와 연산 퍼즐을 다루어 곱셈을 연습합니다.

곱하기 0과 1, 2의 단

접시 위에 있는 과일의 개수를 곱셈식으로 나타내었습니다. 곱셈을 계산해 보세요.

$1 \times 2 = 2$

① 

$1 \times 6 = \square$

② $0 \times 4 = \square$

③ 

$1 \times 3 = \square$

④ 

$0 \times 9 = \square$

Tip
1에 어떤 수를 곱하면 어떤 수가 그대로 나오고, 0에 어떤 수를 곱하면 항상 0이 돼요.

그림을 보고 1의 단 곱셈을 알아보세요.

① $1 \times 1 =$ ☐

② $1 \times 2 =$ ☐

③ $1 \times 3 =$ ☐

④ $1 \times 4 =$ ☐

⑤ $1 \times 5 =$ ☐

⑥ $1 \times 6 =$ ☐

⑦ $1 \times 7 =$ ☐

⑧ $1 \times 8 =$ ☐

⑨ $1 \times 9 =$ ☐

상자에 공이 2개씩 있습니다. 상자의 수에 따라 공의 개수를 구하세요.

① 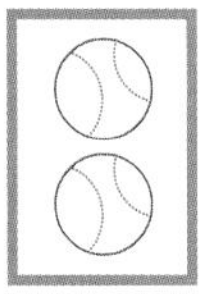 □개

② 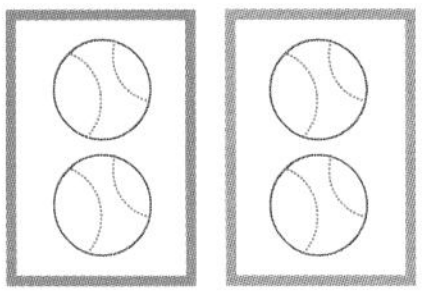 □개

③ 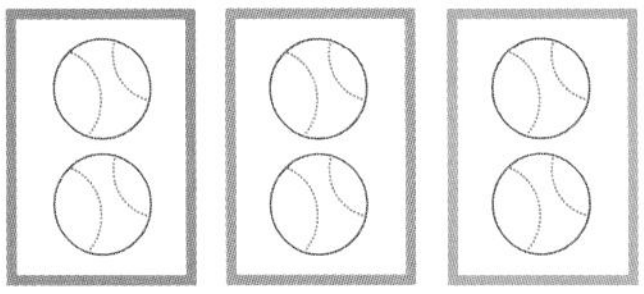 □개

④ 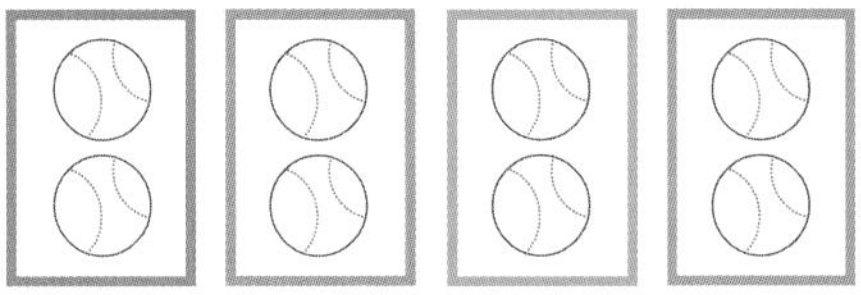 □개

⑤ 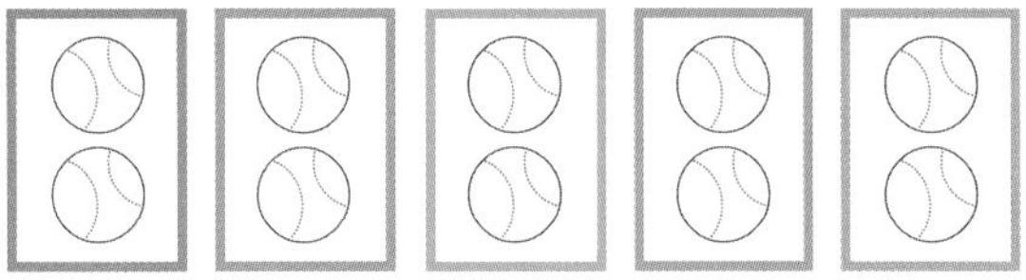 □개

⑥ 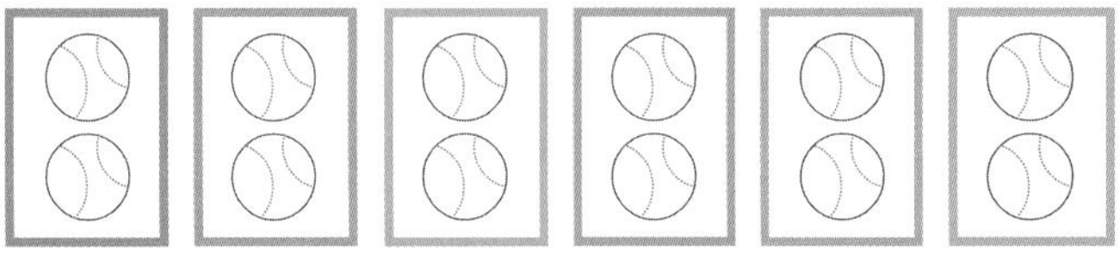 □개

⑦ 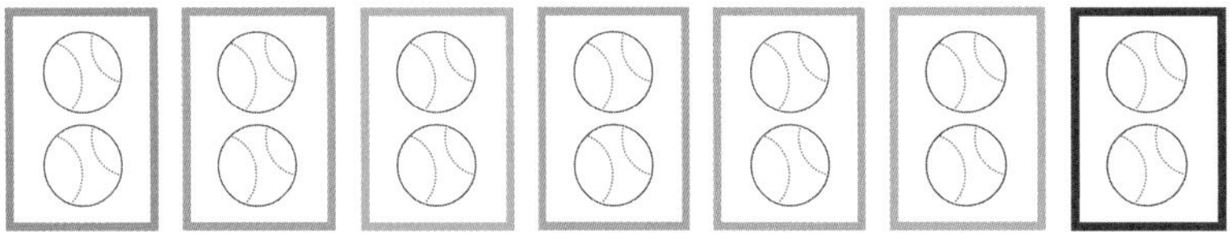 □개

⑧ 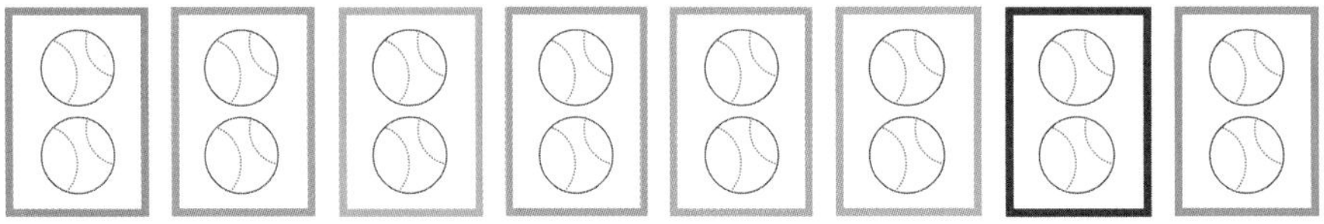 □개

⑨ 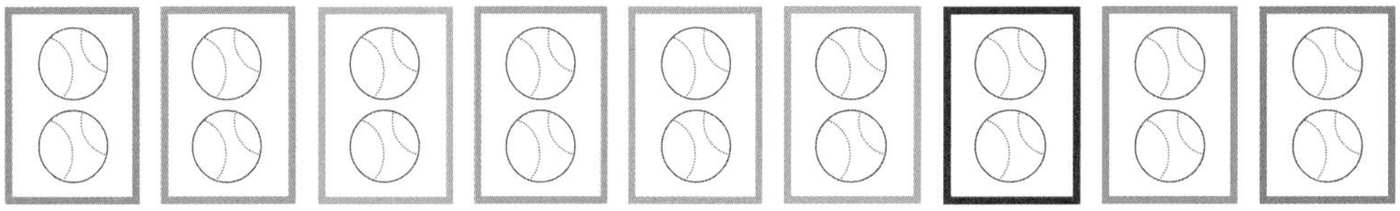 □개

구슬이 몇 개인지 곱셈식으로 알아보세요.

① $2 \times \square = \square$

② $2 \times \square = \square$

③ $2 \times \square = \square$

④ $2 \times \square = \square$

⑤ $2 \times \square = \square$

⑥ $2 \times \square = \square$

⑦ $2 \times \square = \square$

⑧ $2 \times \square = \square$

⑨ $2 \times \square = \square$

Tip
곱셈을 생략하고 이일은 이, 이이는 사, 이삼은 육과 같이 읽도록 하세요.

자전거의 바퀴의 개수를 2의 단 곱셈을 이용하여 세어 보세요.

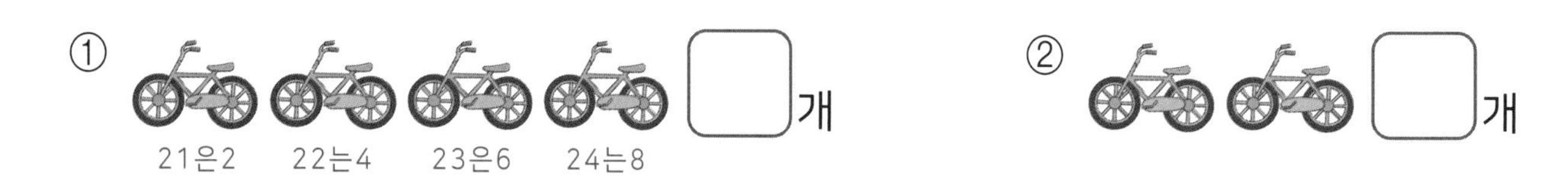

① □개

21은2 22는4 23은6 24는8

② □개

③ □개

④ □개

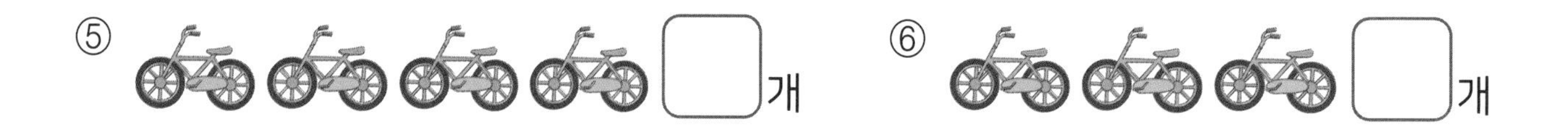

⑤ □개

⑥ □개

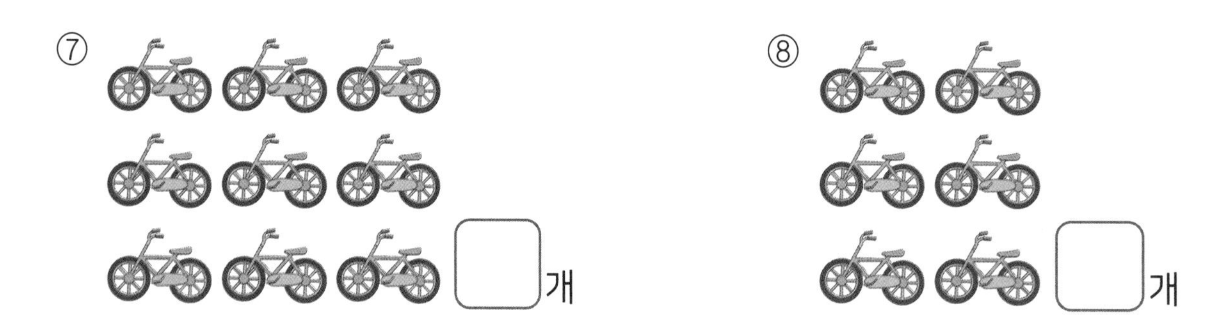

⑦ □개

⑧ □개

⑨ □개

⑩ □개

4의 단

상자에 공이 4개씩 있습니다. 상자의 수에 따라 공의 개수를 구하세요.

① □개

② □개

③ □개

④ □개

⑤ □개

⑥ □개

⑦ □개

⑧ □개

⑨ □개

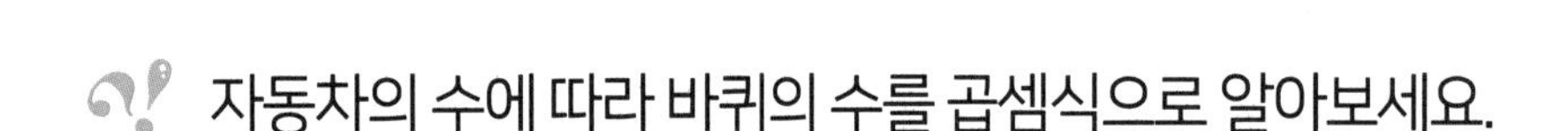

자동차의 수에 따라 바퀴의 수를 곱셈식으로 알아보세요.

① 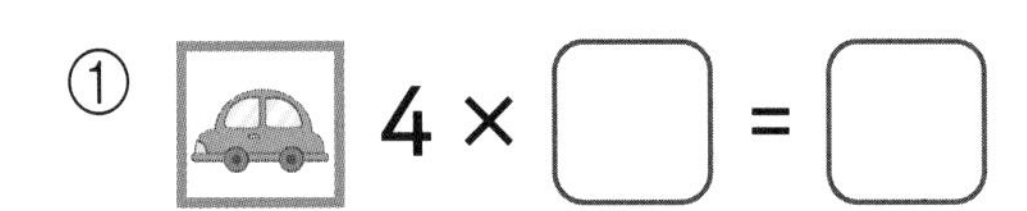

$4 \times \square = \square$

② $4 \times \square = \square$

③ $4 \times \square = \square$

④ $4 \times \square = \square$

⑤ $4 \times \square = \square$

⑥ $4 \times \square = \square$

⑦ $4 \times \square = \square$

⑧ $4 \times \square = \square$

⑨ $4 \times \square = \square$

Tip

곱셈을 생략하고 사일은 사, 사이는 팔, 사삼은 십이와 같이 읽도록 하세요.

블록의 개수를 4의 단 곱셈을 이용하여 세어 보세요.

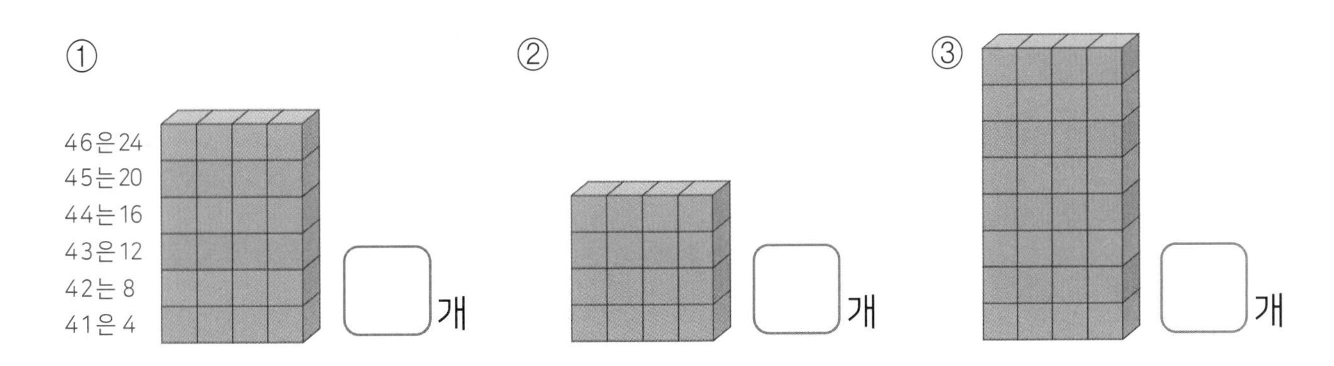

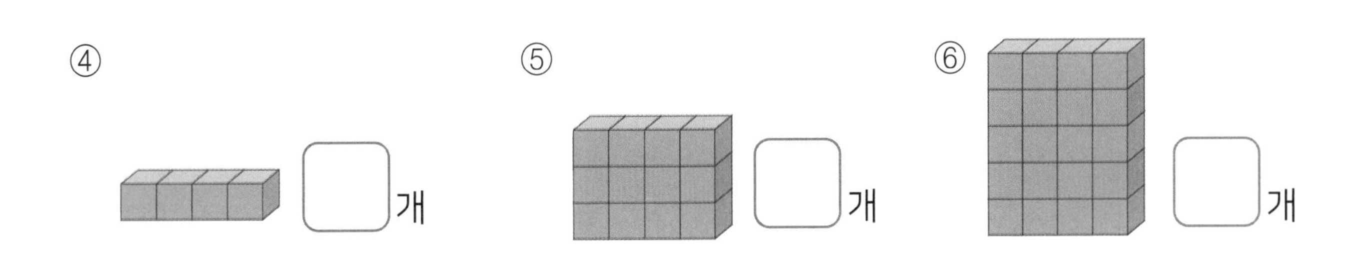

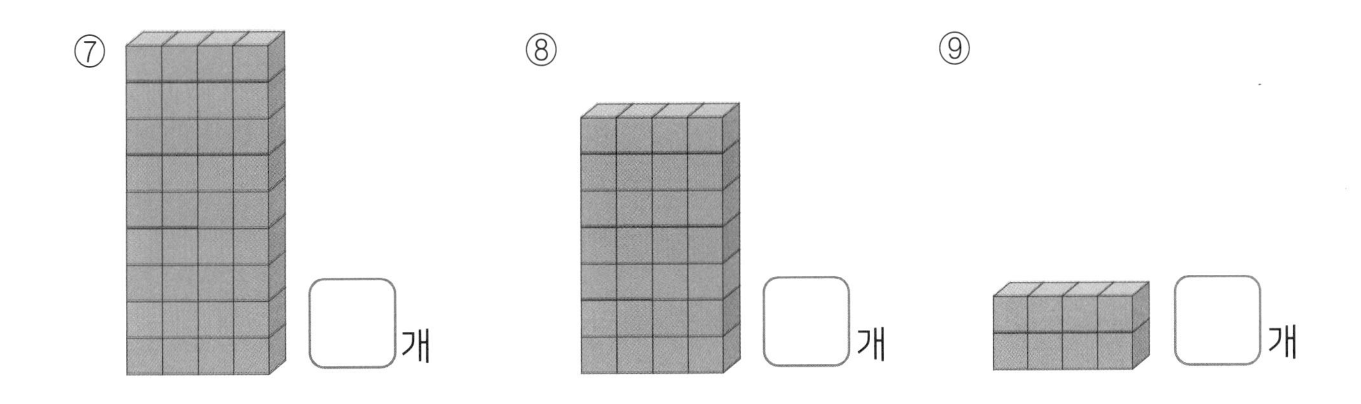

곱셈구구표

곱셈구구표를 완성하세요.

①

×	1	2	3	4
1	1	2		
2	2	4		
4				

②

×	5	6	7	8
2				
4				

③

×	3	4	5	6	7
2					
4					

④

×	7	8	9
2			
4			

⑤

×	2	4	6	8
1				
2				
4				

⑥

×	3	5	7	9
1				
2				
4				

⑦

×	1	2	3	4	5	6	7	8	9
2									
4									

곱셈을 계산하세요.

① $2 \times 5 =$

② $4 \times 7 =$

③ $1 \times 9 =$

④ $4 \times 8 =$

⑤ $4 \times 5 =$

⑥ $2 \times 7 =$

⑦ $4 \times 2 =$

⑧ $2 \times 3 =$

⑨ $4 \times 9 =$

⑩ $2 \times 9 =$

⑪ $4 \times 4 =$

⑫ $2 \times 2 =$

⑬ $1 \times 3 =$

⑭ $1 \times 6 =$

⑮ $2 \times 8 =$

⑯ $2 \times 4 =$

⑰ $2 \times 1 =$

⑱ $4 \times 6 =$

⑲ $4 \times 3 =$

⑳ $2 \times 6 =$

㉑ $0 \times 4 =$

㉒ $0 \times 6 =$

㉓ $1 \times 7 =$

㉔ $4 \times 1 =$

연산 퍼즐

공부한 날! 월 일

곱셈구구의 순서대로 수를 선으로 이어 보세요.

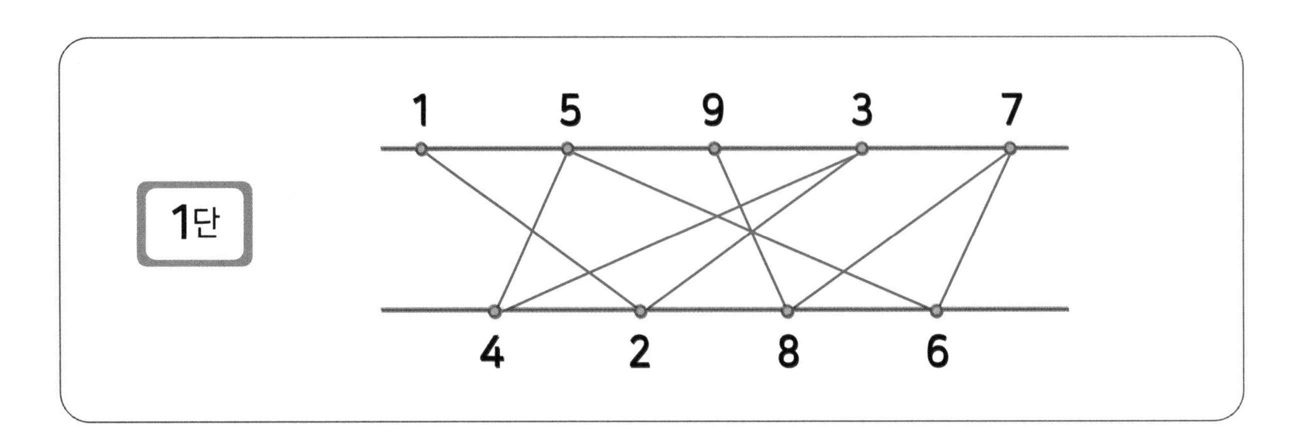

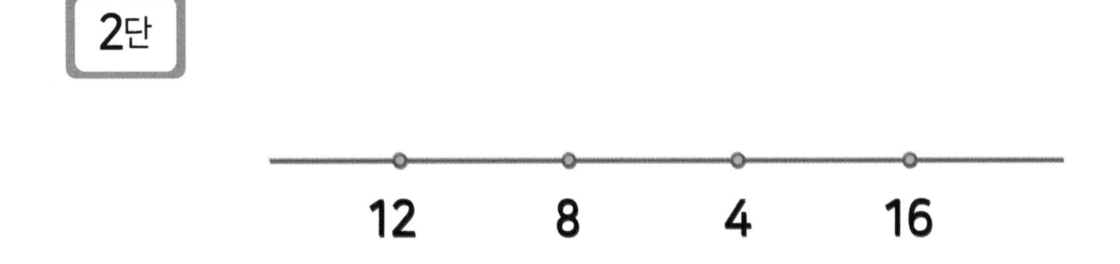

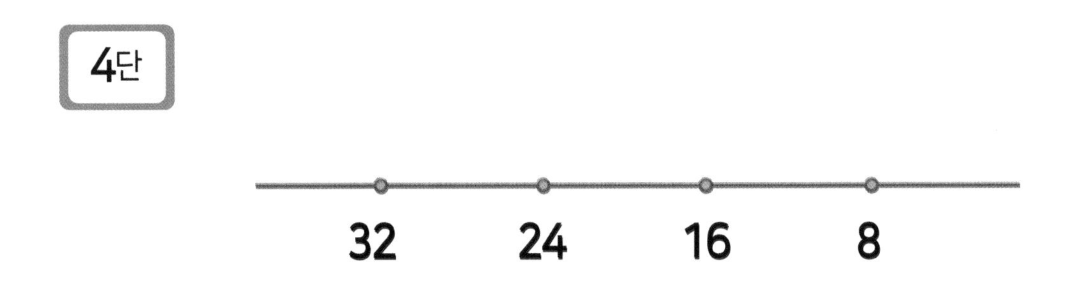

두 삼각형의 사이에 두 수의 곱을 써넣으세요.

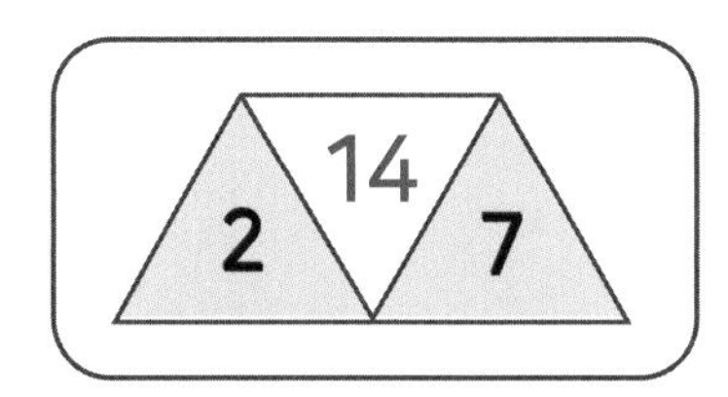

①
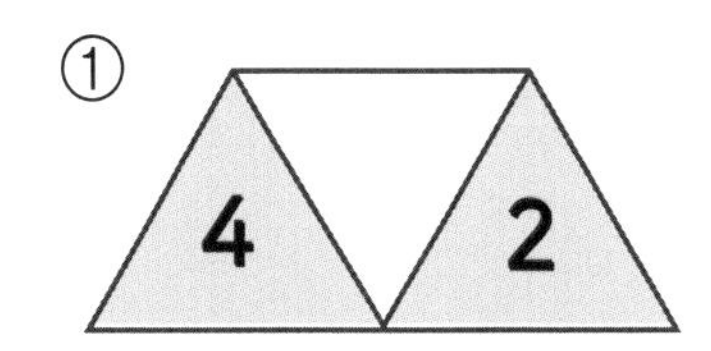

②
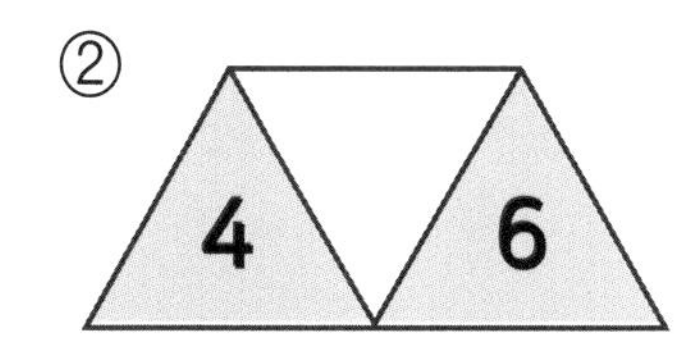

③
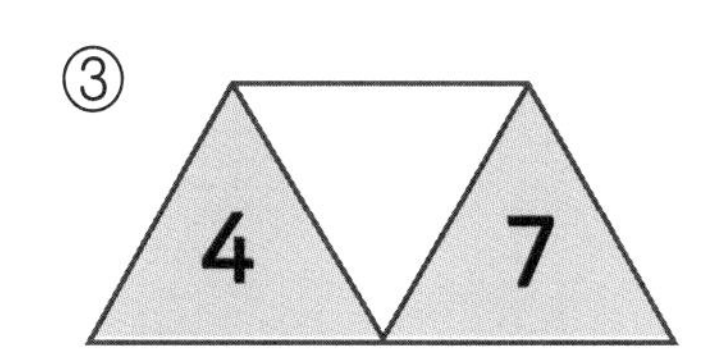

④
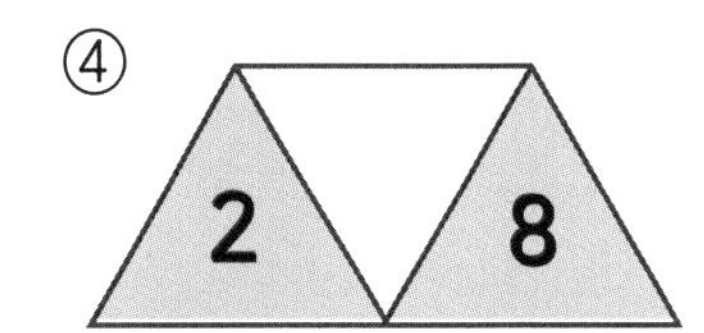

⑤
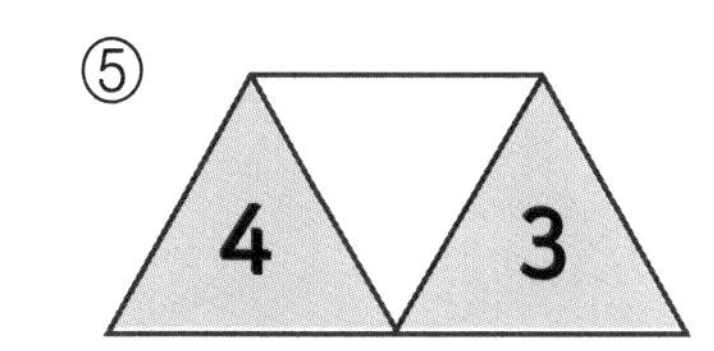

⑥
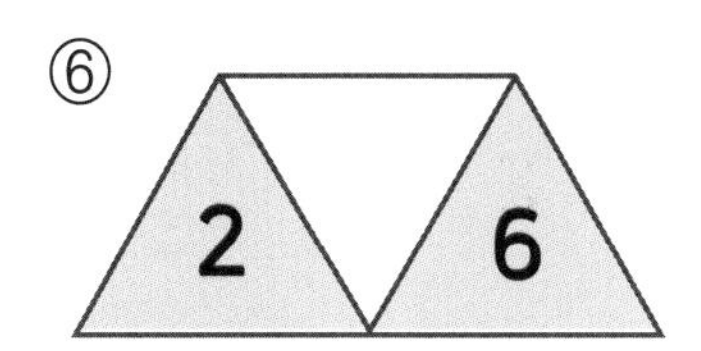

⑦
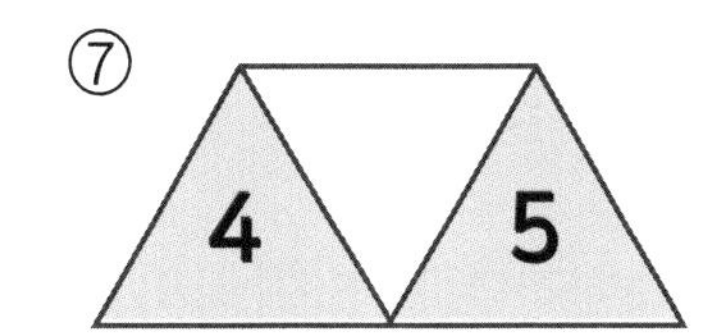

⑧
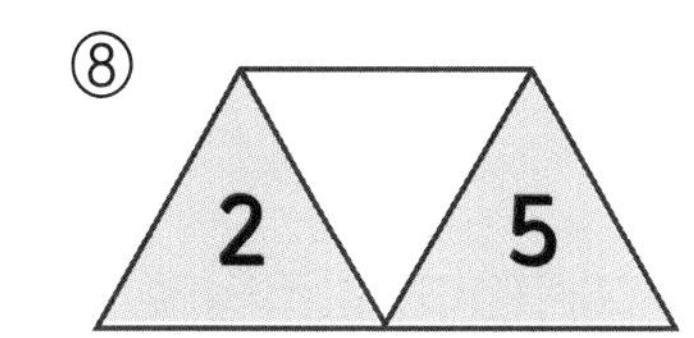

⑨
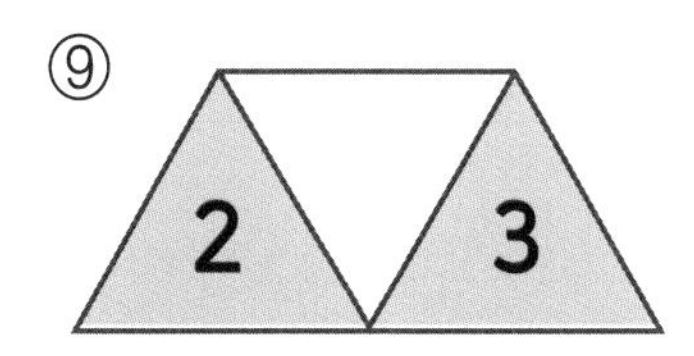

⑩
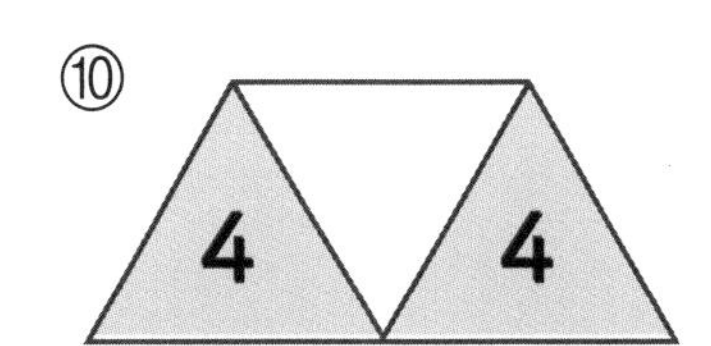

⑪
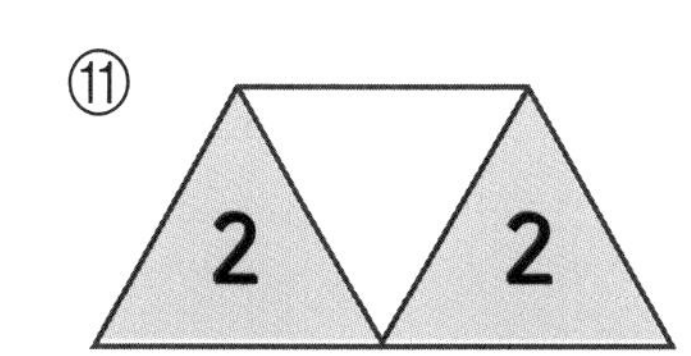

⑫
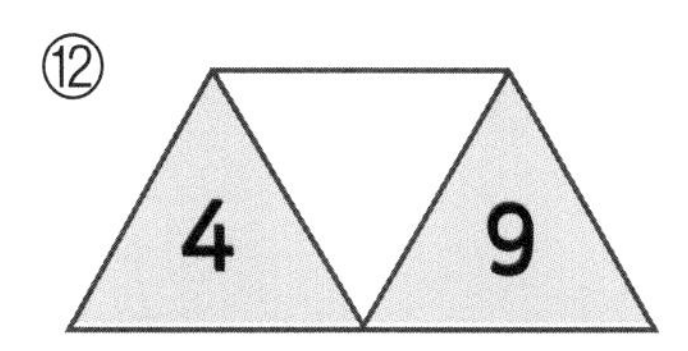

⑬
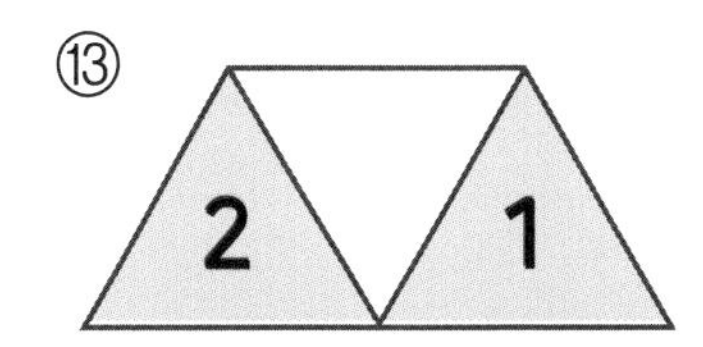

⑭
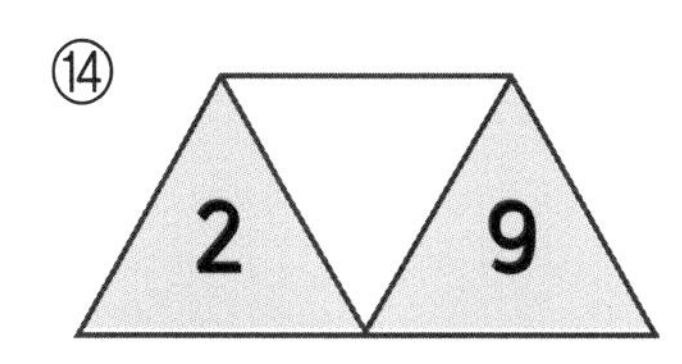

⑮
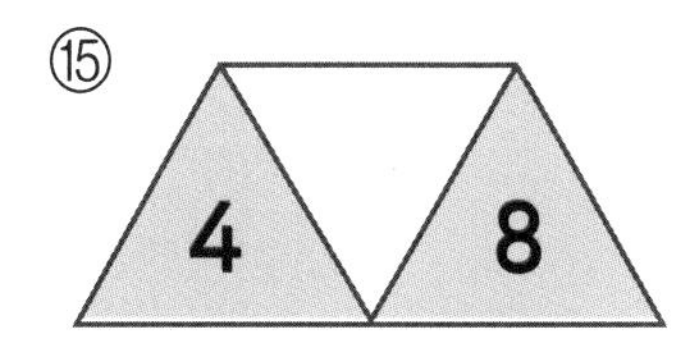

⑯
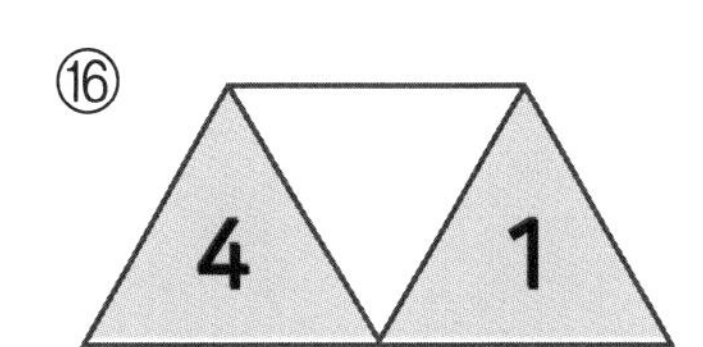

⑰
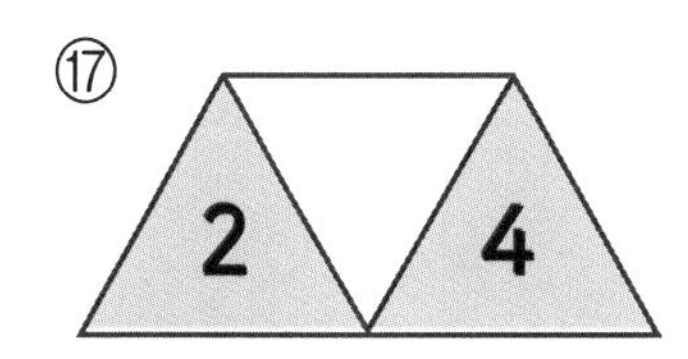

문장제

글과 그림을 보고 물음에 알맞은 식을 세우고 답을 구하세요.

재명이는 평일에는 책을 2권씩 읽고, 토요일과 일요일에는 책을 4권씩 읽습니다.

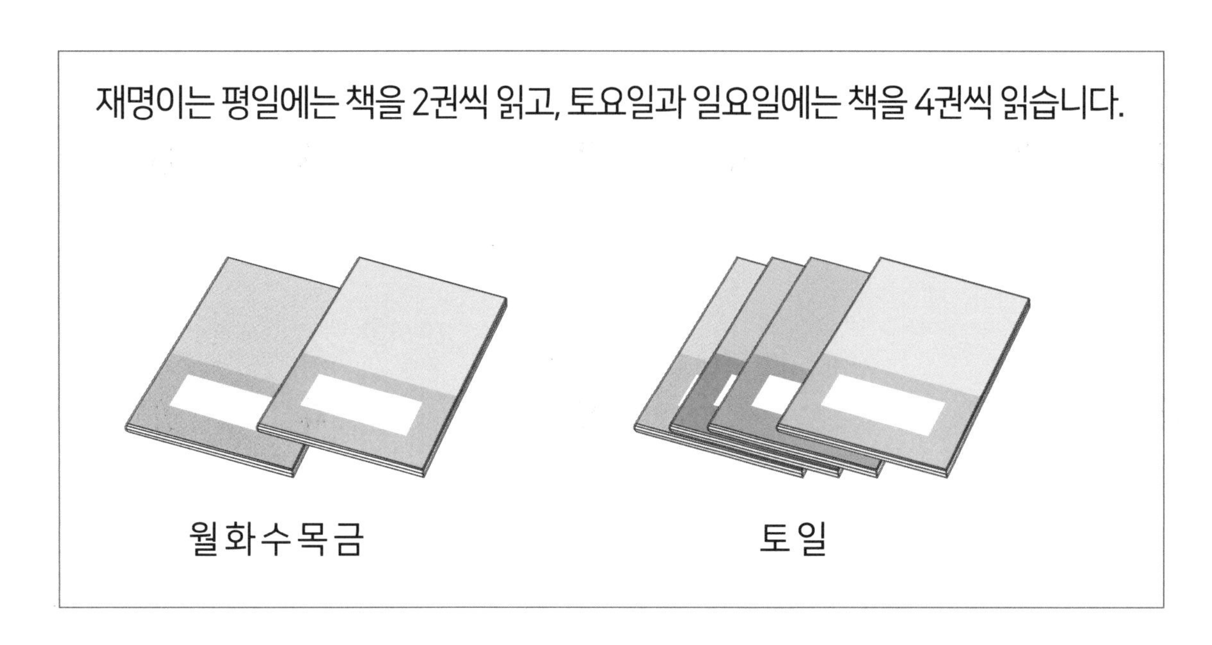

★ 재명이가 일주일 중 평일에 읽는 책은 모두 몇 권일까요?

식: $2 \times 5 = 10$ 답: 10 권

① 재명이가 일주일 중 토요일과 일요일에 읽는 책은 모두 몇 권일까요?

식: ________________ 답: ______ 권

문제를 읽고 알맞은 식과 답을 써 보세요.

① 용석이네 가족 모두 사과를 2개씩 먹으려고 합니다. 용석이네 가족이 4명일 때, 사과를 몇 개 사야 할까요?

식 : ______________________ 답 : ______ 개

② 공원에 비둘기 9마리가 앉아 있습니다. 공원에 앉아 있는 비둘기의 다리를 세면 모두 몇 개일까요?

식 : ______________________ 답 : ______ 개

③ 지운이는 감기에 걸려서 아침, 저녁으로 먹어야 하는 감기약을 받았습니다. 지운이가 6일 동안 약을 먹고 감기가 나았다면 지운이는 약을 모두 몇 번 먹었을까요?

식 : ______________________ 답 : ______ 번

④ 체육관에는 야구공이 4개씩 들어 있는 바구니가 6개 있습니다. 체육관에 있는 야구공은 모두 몇 개일까요?

식 : ______________________ 답 : ______ 개

문제를 읽고 알맞은 식과 답을 써 보세요.

① 옆집 아저씨는 강아지를 5마리 키우고 있습니다. 아저씨는 강아지를 데리고 외출할 때 강아지에게 신발을 신깁니다. 5마리 모두 데리고 외출하려면 강아지 신발은 몇 개 있어야 할까요?

식 : ______________________ 답 : ______ 개

② 마트에서 음료를 4개씩 6줄을 묶어 할인 행사를 하고 있습니다. 할인 행사를 하는 음료 한 묶음은 몇 개일까요?

식 : ______________________ 답 : ______ 개

③ 매일 4쪽씩, 일주일 동안 수학 문제집을 풀면 모두 몇 쪽을 풀 수 있을까요?

식 : ______________________ 답 : ______ 쪽

④ 수연이네 모둠에서 백원짜리 동전을 2개씩 모아 함께 사용할 준비물을 구입하기로 했습니다. 수연이네 모둠이 8명이라면 수연이네 모둠이 모은 백원짜리 동전은 모두 몇 개일까요?

식 : ______________________ 답 : ______ 개

2주차

5의 단, 9의 단

5의 단 곱셈과 9의 단 곱셈을 외우도록 합니다. 그림을 보고 한 문제, 한 문제 곱셈구구를 하여 해결해서 곱셈구구를 외울 수 있도록 한 후, 곱셈구구표와 연산 퍼즐을 다루어 곱셈을 연습합니다. 5의 단 곱셈과 9의 단 곱셈은 규칙이 있어서 빨리 외울 수 있습니다.

5의 단

손가락의 개수를 세어 보세요.

① ☐개

② ☐개

③ ☐개

④ ☐개

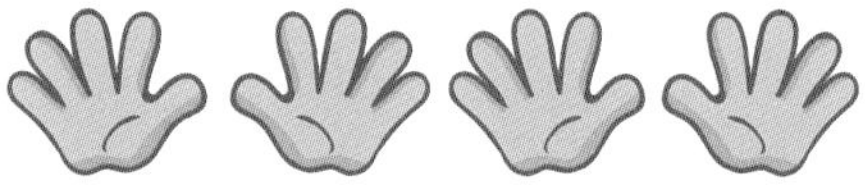

⑤ ☐개

⑥ ☐개

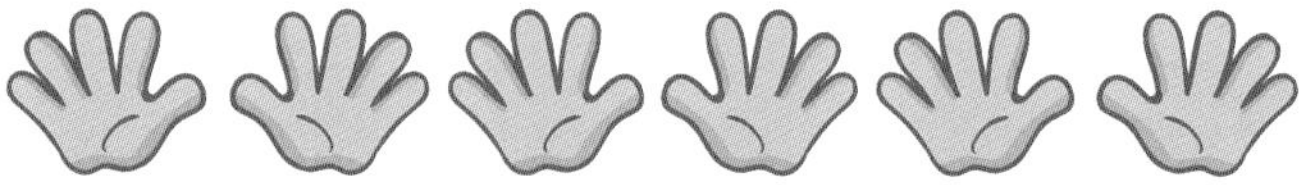

⑦ ☐개

⑧ ☐개

⑨ ☐개

5씩 뛰어 센 수를 곱셈식으로 알아보세요.

① 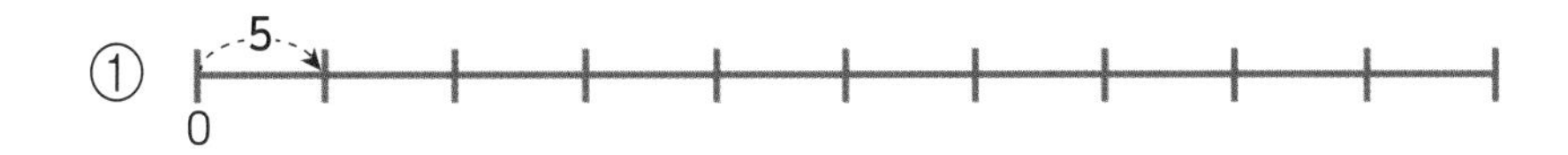 5 × □ = □

② 0 5 × □ = □

③ 0 5 × □ = □

④ 0 5 × □ = □

⑤ 0 5 × □ = □

⑥ 0 5 × □ = □

⑦ 0 5 × □ = □

⑧ 0 5 × □ = □

⑨ 0 5 × □ = □

Tip 곱셈을 생략하고 오일은 오, 오이는 십, 오삼은 십오와 같이 읽도록 하세요.

나무 막대 5개로 만든 도형의 개수를 보고 5의 단 곱셈을 이용하여 나무 막대의 개수를 구하세요.

①
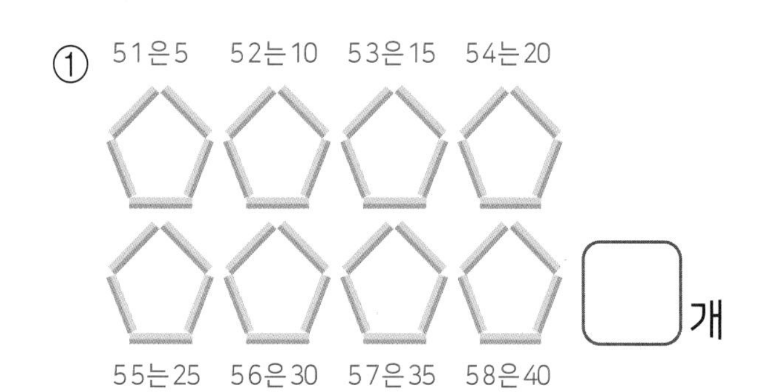

□개

②
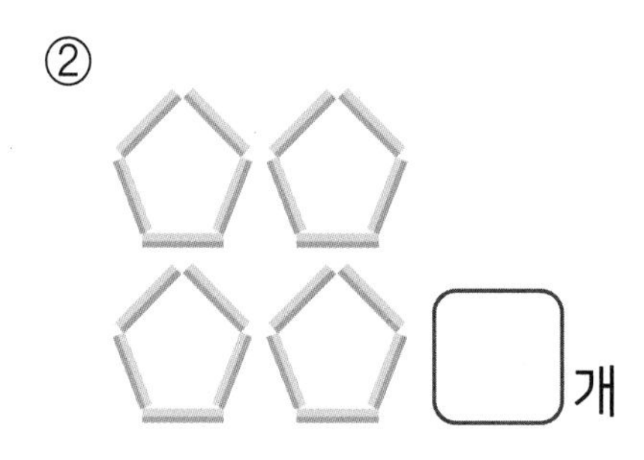
□개

③

□개

④
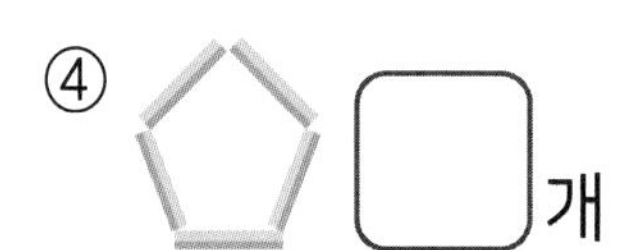
□개

⑤
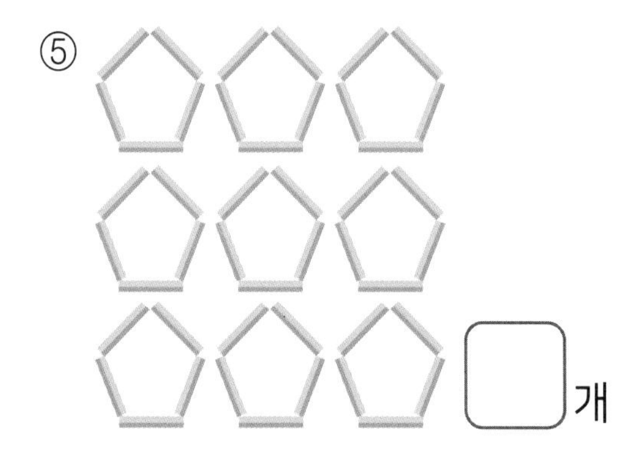
□개

⑥
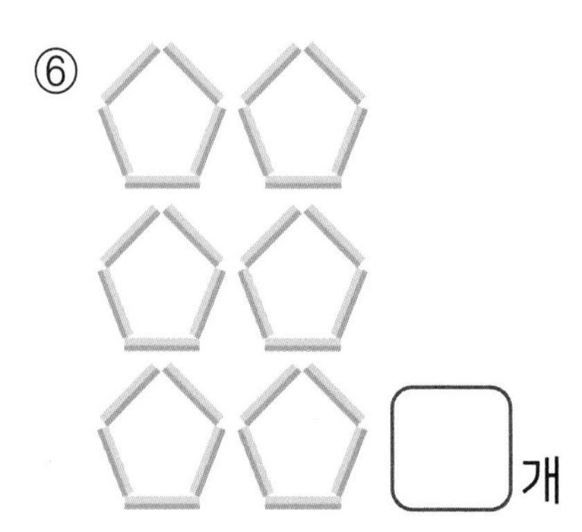
□개

⑦
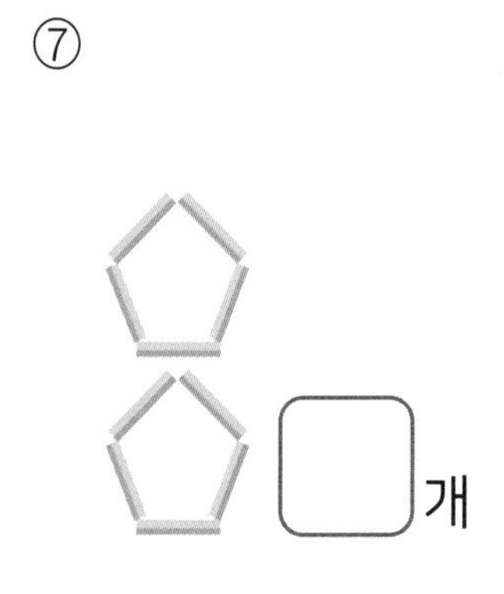
□개

⑧
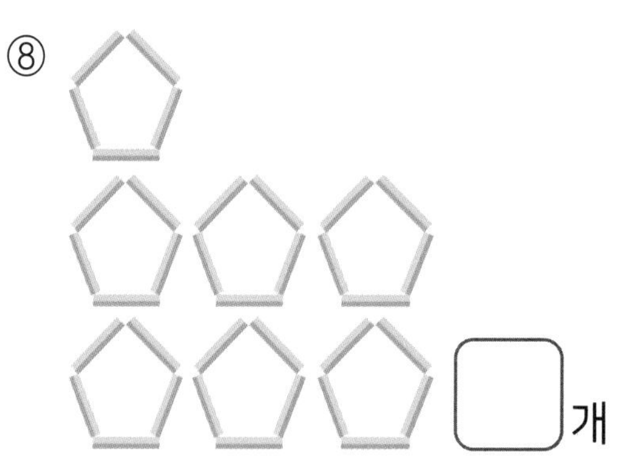
□개

⑨
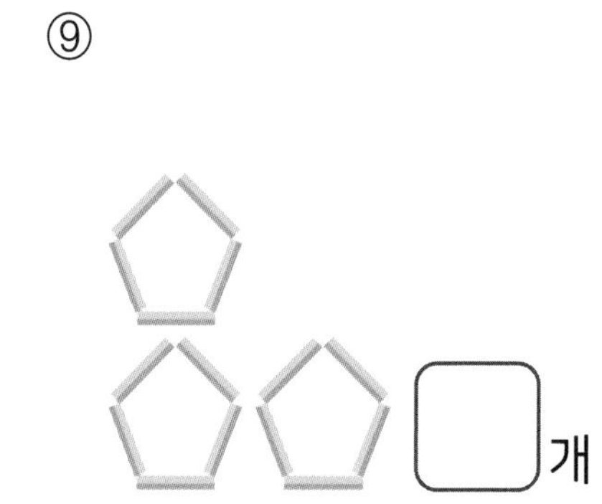
□개

9의 단

한 면에 점이 9개씩 있는 그림입니다. 점의 개수를 구하세요.

① ☐개

② ☐개

③ ☐개

④ ☐개

⑤ ☐개

⑥ ☐개

⑦ ☐개

⑧ ☐개

⑨ ☐개

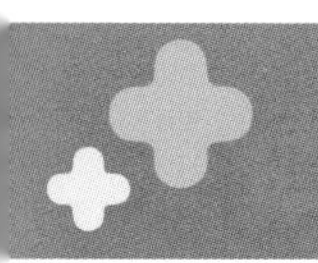

9씩 뛰어 센 수를 곱셈식으로 알아보세요.

① 0 (9) $9 \times \square = \square$

② 0 (9, 9) $9 \times \square = \square$

③ 0 (9, 9, 9) $9 \times \square = \square$

④ 0 (9, 9, 9, 9) $9 \times \square = \square$

⑤ 0 (9, 9, 9, 9, 9) $9 \times \square = \square$

⑥ 0 (9, 9, 9, 9, 9, 9) $9 \times \square = \square$

⑦ 0 (9, 9, 9, 9, 9, 9, 9) $9 \times \square = \square$

⑧ 0 (9, 9, 9, 9, 9, 9, 9, 9) $9 \times \square = \square$

⑨ 0 (9, 9, 9, 9, 9, 9, 9, 9, 9) $9 \times \square = \square$

Tip

곱셈을 생략하고 구일은 구, 구이는 십팔, 구삼은 이십칠과 같이 읽도록 하세요.

초콜릿이 9개씩 포장되어 있습니다. 9의 단 곱셈을 이용하여 초콜릿의 개수를 구하세요.

① □개

9 1은 9　9 2는 18　9 3은 27　9 4는 36　9 5는 45　9 6은 54　9 7은 63　9 8은 72

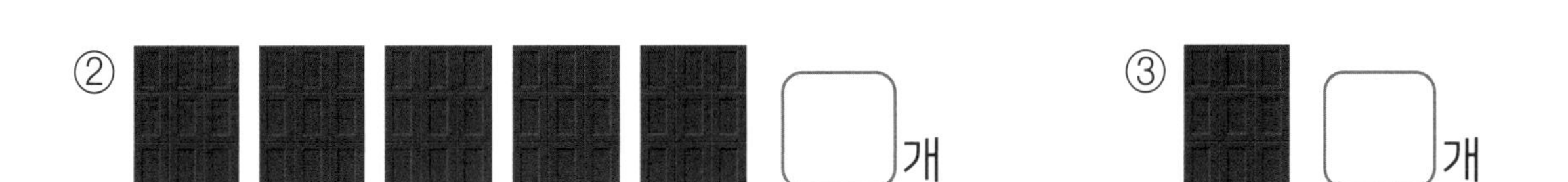

② □개　③ □개

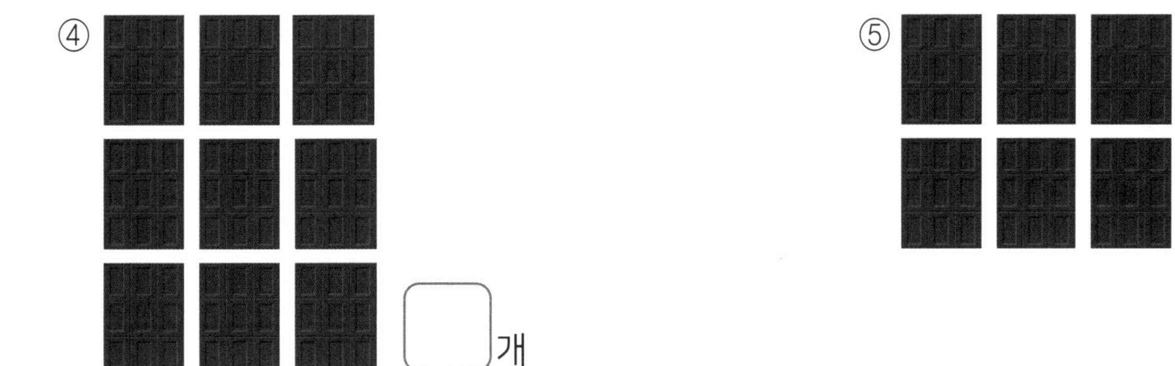

④ □개　⑤ □개

⑥ □개　⑦ □개

⑧ □개　⑨ □개

곱셈구구표

곱셈구구표를 완성하세요.

①

×	5	6	7	8
5				
9				

②

×	1	2	3	4
5				
9				

③

×	3	4	5	6	7
5					
9					

④

×	7	8	9
5			
9			

⑤

×	2	4	6	8
5				
9				

⑥

×	3	5	7	9
5				
9				

⑦

×	1	2	3	4	5	6	7	8	9
5									
9									

곱셈을 계산하세요.

① $5 \times 6 =$

② $9 \times 4 =$

③ $9 \times 8 =$

④ $5 \times 9 =$

⑤ $5 \times 2 =$

⑥ $5 \times 7 =$

⑦ $9 \times 3 =$

⑧ $5 \times 8 =$

⑨ $9 \times 7 =$

⑩ $9 \times 2 =$

⑪ $5 \times 3 =$

⑫ $5 \times 4 =$

⑬ $9 \times 6 =$

⑭ $9 \times 9 =$

⑮ $9 \times 4 =$

⑯ $5 \times 5 =$

⑰ $5 \times 7 =$

⑱ $9 \times 7 =$

⑲ $9 \times 5 =$

⑳ $9 \times 3 =$

㉑ $5 \times 8 =$

㉒ $5 \times 6 =$

㉓ $9 \times 8 =$

㉔ $5 \times 2 =$

연산 퍼즐

공부한 날! 월 일

곱셈구구의 순서대로 수를 선으로 이어 보세요.

이웃한 두 ◯ 안의 수의 곱을 □에 써넣으세요.

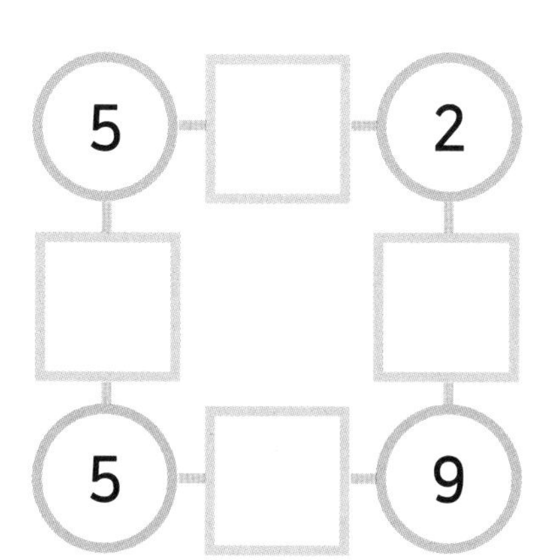

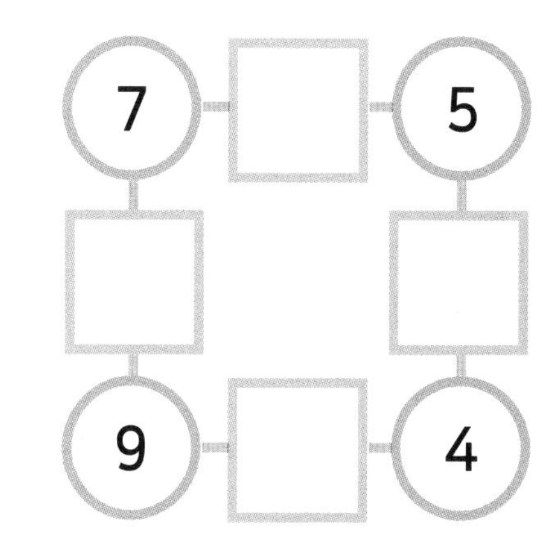

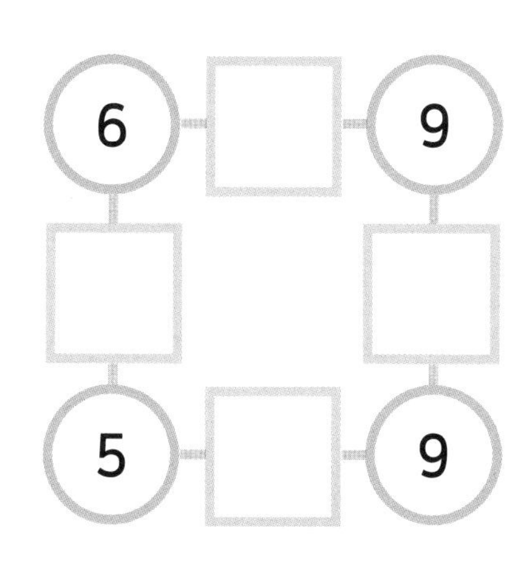

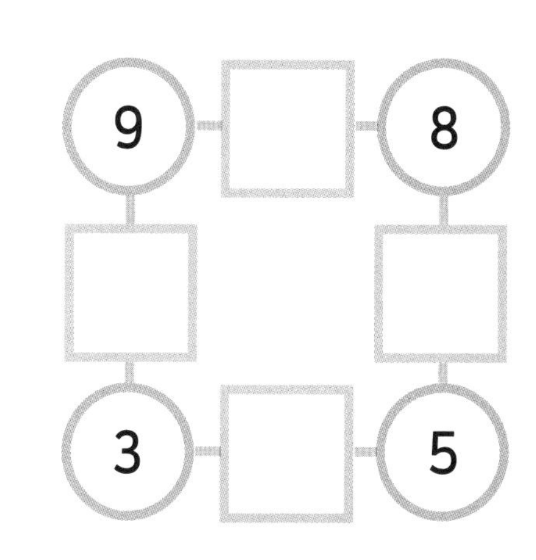

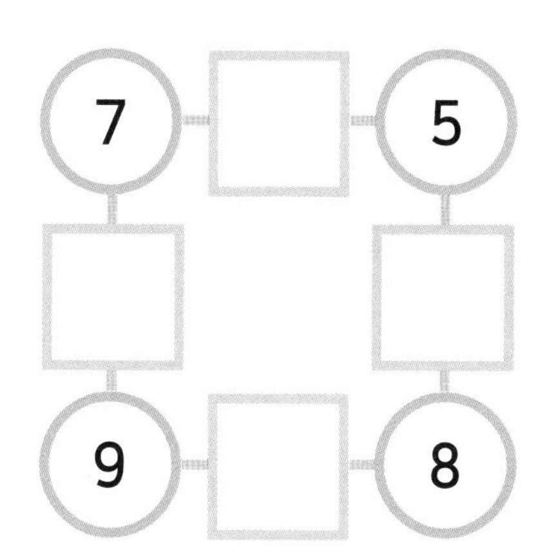

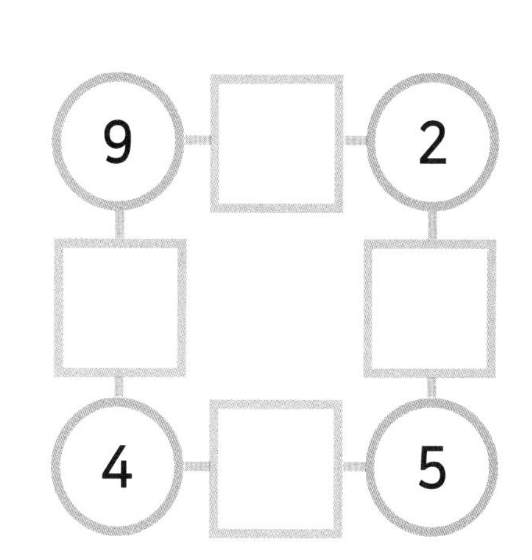

식을 계산하여 집까지 가는 길을 그려 보세요.

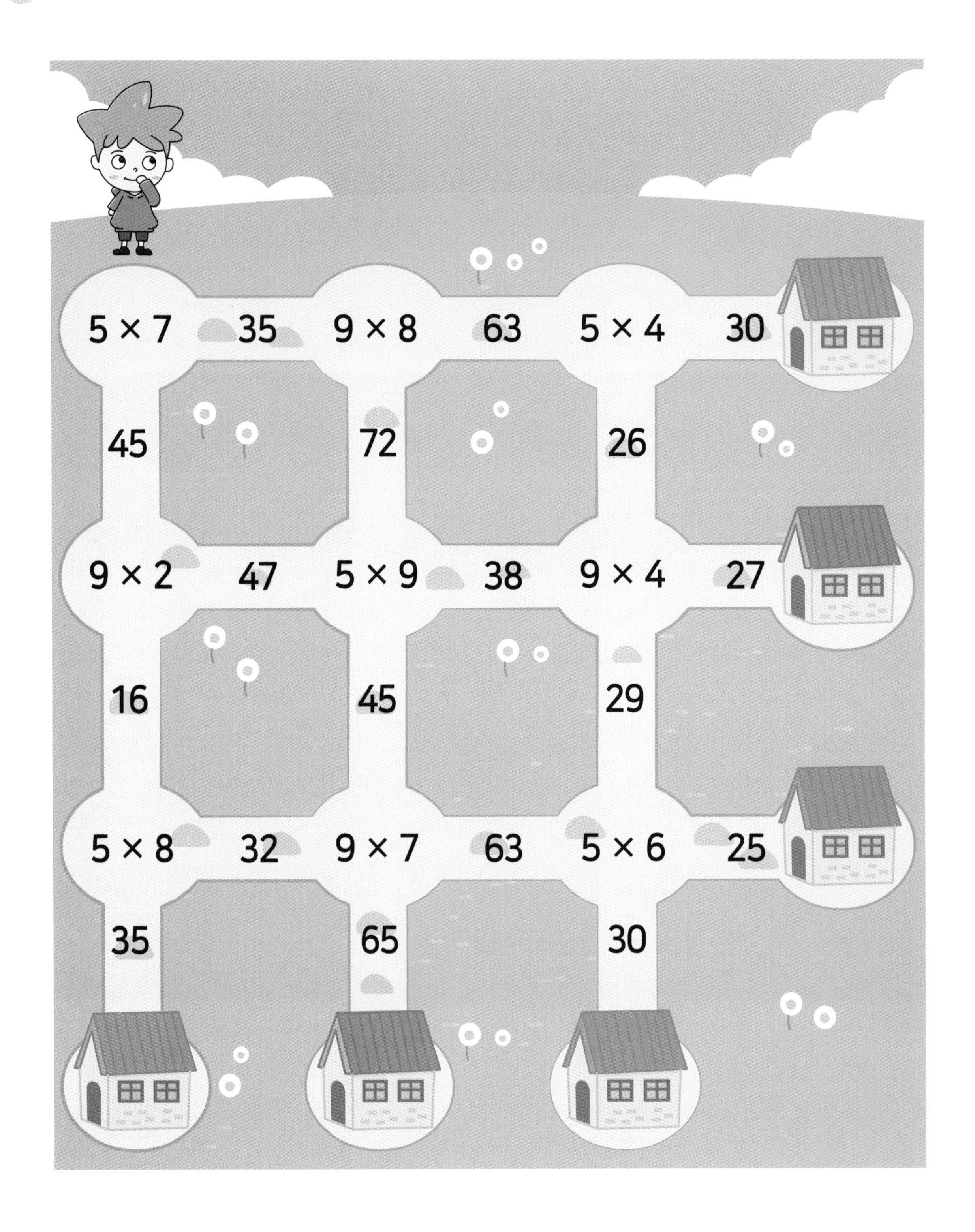

문장제

글과 그림을 보고 물음에 알맞은 식을 세우고 답을 구하세요.

과일 가게에 감을 포장하여 팔고 있습니다. 크기가 큰 감은 5개씩 묶어서 팔고 있고, 작은 감은 9개씩 묶어서 팔고 있습니다.

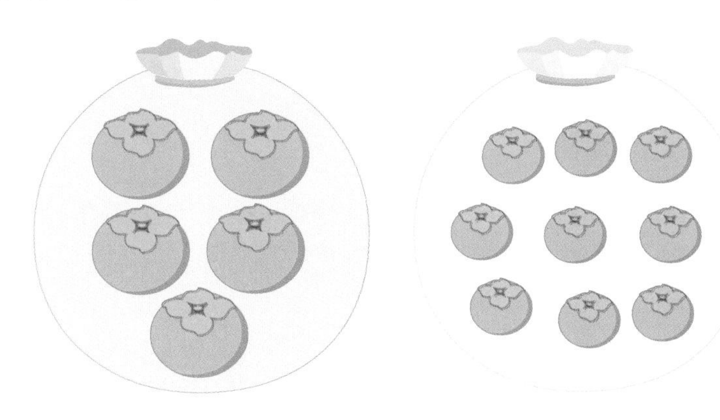

★ 포장되어 있는 큰 감을 6묶음 사면 감은 모두 몇 개일까요?

식 : $5 \times 6 = 30$　　　　답 : 30 개

① 같은 묶음으로 작은 감을 사면 감은 모두 몇 개일까요?

식 : ____________　　　　답 : ____ 개

문제를 읽고 알맞은 식과 답을 써 보세요.

① 5명이 가위바위보를 하는데 5명 모두 동시에 보를 내었습니다. 펼친 손가락은 모두 몇 개일까요?

식 : ______________________ 답 : ______ 개

② 놀이공원의 코끼리 열차는 정원이 9명인 칸이 4칸 연결되어 있습니다. 코끼리 열차는 동시에 몇 명까지 탈 수 있을까요?

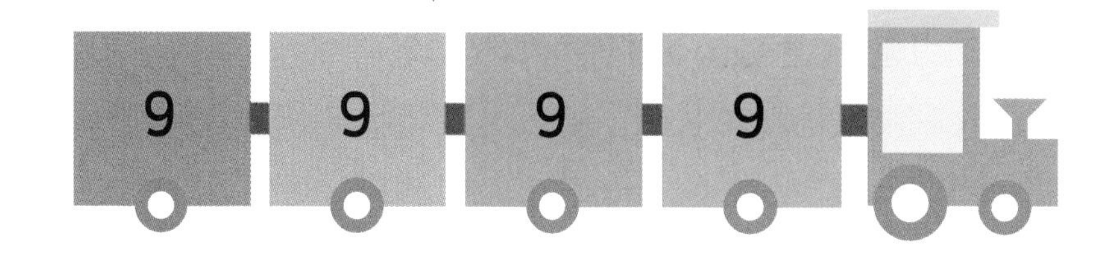

식 : ______________________ 답 : ______ 명

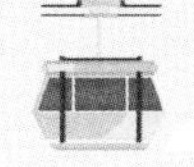

문제를 읽고 알맞은 식과 답을 써 보세요.

① 구슬이 5개씩 들어 있는 상자가 7개 있습니다. 구슬은 모두 몇 개일까요?

식 : ______________________ 답 : ______ 개

② 준성이는 밀린 방학 숙제를 하루에 9쪽씩 8일 동안 해서 모두 끝냈습니다. 준성이가 8일 동안 한 방학 숙제는 모두 몇 쪽일까요?

식 : ______________________ 답 : ______ 쪽

③ 민성이는 한 봉지에 과자가 5개씩 들어 있는 과자를 8봉지 먹었습니다. 민성이가 먹은 과자는 모두 몇 개일까요?

식 : ______________________ 답 : ______ 개

문제를 읽고 알맞은 식과 답을 써 보세요.

① 성우네 반은 한 모둠에 5명씩 4개 모둠으로 나누어져 있습니다. 성우네 반 학생은 모두 몇 명일까요?

식 : ______________________ 답 : ______ 명

② 알뜰 장터에서 동화책 1권을 공책 9권으로 바꾸어 줍니다. 호준이가 장터에 가서 다 본 동화책 3권을 공책으로 바꾸었습니다. 호준이가 받은 공책은 모두 몇 권일까요?

식 : ______________________ 답 : ______ 권

③ 한 상자에 구슬이 9개씩 들어 있습니다. 7개의 상자에 들어 있는 구슬은 모두 몇 개일까요?

식 : ______________________ 답 : ______ 개

3주차

도전! 계산왕

곱셈구구

공부한 날	월 일
점수	/ 24

곱셈을 계산하세요.

① $9 \times 8 =$
② $2 \times 3 =$
③ $4 \times 7 =$

④ $4 \times 2 =$
⑤ $5 \times 2 =$
⑥ $4 \times 5 =$

⑦ $2 \times 6 =$
⑧ $5 \times 8 =$
⑨ $5 \times 9 =$

⑩ $4 \times 3 =$
⑪ $2 \times 6 =$
⑫ $5 \times 7 =$

⑬ $0 \times 6 =$
⑭ $1 \times 9 =$
⑮ $5 \times 8 =$

⑯ $2 \times 8 =$
⑰ $5 \times 4 =$
⑱ $4 \times 8 =$

⑲ $9 \times 7 =$
⑳ $2 \times 9 =$
㉑ $5 \times 6 =$

㉒ $4 \times 6 =$
㉓ $9 \times 2 =$
㉔ $2 \times 5 =$

곱셈구구

공부한 날	월 일
점 수	/ 24

곱셈을 계산하세요.

① $4 \times 8 =$ ② $2 \times 2 =$ ③ $9 \times 9 =$

④ $4 \times 4 =$ ⑤ $5 \times 5 =$ ⑥ $2 \times 7 =$

⑦ $9 \times 6 =$ ⑧ $9 \times 7 =$ ⑨ $4 \times 7 =$

⑩ $4 \times 5 =$ ⑪ $1 \times 2 =$ ⑫ $9 \times 4 =$

⑬ $2 \times 9 =$ ⑭ $4 \times 6 =$ ⑮ $2 \times 6 =$

⑯ $4 \times 9 =$ ⑰ $0 \times 6 =$ ⑱ $5 \times 6 =$

⑲ $2 \times 8 =$ ⑳ $9 \times 5 =$ ㉑ $1 \times 8 =$

㉒ $2 \times 3 =$ ㉓ $2 \times 5 =$ ㉔ $5 \times 7 =$

곱셈구구

공부한 날	월 일
점수	/ 24

곱셈을 계산하세요.

① $5 \times 2 =$	② $2 \times 9 =$	③ $4 \times 6 =$
④ $5 \times 3 =$	⑤ $9 \times 6 =$	⑥ $2 \times 8 =$
⑦ $2 \times 3 =$	⑧ $4 \times 9 =$	⑨ $5 \times 6 =$
⑩ $5 \times 7 =$	⑪ $5 \times 9 =$	⑫ $1 \times 9 =$
⑬ $9 \times 3 =$	⑭ $2 \times 5 =$	⑮ $9 \times 2 =$
⑯ $9 \times 4 =$	⑰ $2 \times 7 =$	⑱ $2 \times 3 =$
⑲ $4 \times 5 =$	⑳ $5 \times 8 =$	㉑ $1 \times 4 =$
㉒ $9 \times 7 =$	㉓ $4 \times 7 =$	㉔ $9 \times 8 =$

곱셈구구

공부한 날	월 일
점 수	/ 24

곱셈을 계산하세요.

① $9 \times 7 =$

② $9 \times 9 =$

③ $5 \times 8 =$

④ $2 \times 7 =$

⑤ $5 \times 6 =$

⑥ $4 \times 7 =$

⑦ $5 \times 9 =$

⑧ $9 \times 3 =$

⑨ $4 \times 3 =$

⑩ $4 \times 6 =$

⑪ $2 \times 4 =$

⑫ $4 \times 9 =$

⑬ $9 \times 8 =$

⑭ $9 \times 4 =$

⑮ $4 \times 2 =$

⑯ $5 \times 2 =$

⑰ $2 \times 2 =$

⑱ $2 \times 9 =$

⑲ $5 \times 5 =$

⑳ $9 \times 6 =$

㉑ $4 \times 8 =$

㉒ $2 \times 8 =$

㉓ $5 \times 7 =$

㉔ $9 \times 5 =$

곱셈구구

공부한 날 월 일
점 수 / 24

곱셈을 계산하세요.

① $5 \times 7 =$ ② $2 \times 2 =$ ③ $4 \times 2 =$

④ $9 \times 2 =$ ⑤ $1 \times 6 =$ ⑥ $5 \times 9 =$

⑦ $4 \times 7 =$ ⑧ $9 \times 8 =$ ⑨ $2 \times 8 =$

⑩ $5 \times 4 =$ ⑪ $9 \times 6 =$ ⑫ $2 \times 3 =$

⑬ $2 \times 7 =$ ⑭ $9 \times 3 =$ ⑮ $2 \times 6 =$

⑯ $2 \times 4 =$ ⑰ $5 \times 8 =$ ⑱ $5 \times 6 =$

⑲ $4 \times 6 =$ ⑳ $4 \times 5 =$ ㉑ $9 \times 7 =$

㉒ $9 \times 9 =$ ㉓ $9 \times 4 =$ ㉔ $4 \times 9 =$

곱셈구구

공부한 날	월 일
점수	/ 24

곱셈을 계산하세요.

① $9 \times 8 =$
② $2 \times 7 =$
③ $5 \times 4 =$
④ $9 \times 9 =$
⑤ $4 \times 8 =$
⑥ $5 \times 5 =$
⑦ $2 \times 5 =$
⑧ $5 \times 3 =$
⑨ $4 \times 9 =$
⑩ $4 \times 4 =$
⑪ $9 \times 6 =$
⑫ $2 \times 9 =$
⑬ $5 \times 2 =$
⑭ $5 \times 9 =$
⑮ $9 \times 2 =$
⑯ $4 \times 7 =$
⑰ $5 \times 7 =$
⑱ $1 \times 6 =$
⑲ $2 \times 6 =$
⑳ $9 \times 4 =$
㉑ $4 \times 5 =$
㉒ $4 \times 6 =$
㉓ $9 \times 7 =$
㉔ $5 \times 8 =$

곱셈구구

공부한 날	월 일
점수	/ 24

곱셈을 계산하세요.

① $9 \times 2 =$

② $4 \times 6 =$

③ $5 \times 9 =$

④ $2 \times 9 =$

⑤ $5 \times 6 =$

⑥ $9 \times 7 =$

⑦ $4 \times 4 =$

⑧ $5 \times 7 =$

⑨ $9 \times 9 =$

⑩ $9 \times 5 =$

⑪ $5 \times 5 =$

⑫ $9 \times 8 =$

⑬ $2 \times 3 =$

⑭ $5 \times 4 =$

⑮ $4 \times 5 =$

⑯ $9 \times 4 =$

⑰ $9 \times 6 =$

⑱ $4 \times 3 =$

⑲ $5 \times 8 =$

⑳ $5 \times 2 =$

㉑ $2 \times 7 =$

㉒ $9 \times 3 =$

㉓ $1 \times 2 =$

㉔ $4 \times 8 =$

곱셈구구

공부한 날 월 일
점 수 / 24

곱셈을 계산하세요.

① $4 \times 8 =$ ② $4 \times 4 =$ ③ $2 \times 5 =$

④ $5 \times 6 =$ ⑤ $2 \times 6 =$ ⑥ $9 \times 7 =$

⑦ $4 \times 5 =$ ⑧ $9 \times 6 =$ ⑨ $1 \times 3 =$

⑩ $9 \times 2 =$ ⑪ $4 \times 6 =$ ⑫ $2 \times 2 =$

⑬ $5 \times 2 =$ ⑭ $5 \times 7 =$ ⑮ $9 \times 4 =$

⑯ $2 \times 7 =$ ⑰ $1 \times 8 =$ ⑱ $9 \times 9 =$

⑲ $9 \times 8 =$ ⑳ $2 \times 9 =$ ㉑ $4 \times 3 =$

㉒ $2 \times 7 =$ ㉓ $5 \times 9 =$ ㉔ $5 \times 4 =$

곱셈구구

공부한 날	월 일
점 수	/ 24

곱셈을 계산하세요.

① $5 \times 2 =$

② $2 \times 5 =$

③ $5 \times 6 =$

④ $4 \times 3 =$

⑤ $2 \times 3 =$

⑥ $9 \times 8 =$

⑦ $5 \times 5 =$

⑧ $5 \times 7 =$

⑨ $9 \times 3 =$

⑩ $4 \times 6 =$

⑪ $5 \times 8 =$

⑫ $9 \times 6 =$

⑬ $2 \times 6 =$

⑭ $9 \times 2 =$

⑮ $9 \times 7 =$

⑯ $9 \times 4 =$

⑰ $5 \times 3 =$

⑱ $4 \times 8 =$

⑲ $2 \times 6 =$

⑳ $4 \times 4 =$

㉑ $4 \times 7 =$

㉒ $4 \times 9 =$

㉓ $2 \times 2 =$

㉔ $4 \times 5 =$

곱셈구구

곱셈을 계산하세요.

① $9 \times 2 =$	② $2 \times 4 =$	③ $5 \times 4 =$
④ $5 \times 3 =$	⑤ $4 \times 3 =$	⑥ $9 \times 4 =$
⑦ $4 \times 6 =$	⑧ $1 \times 5 =$	⑨ $9 \times 7 =$
⑩ $9 \times 8 =$	⑪ $4 \times 8 =$	⑫ $2 \times 9 =$
⑬ $4 \times 2 =$	⑭ $4 \times 4 =$	⑮ $5 \times 6 =$
⑯ $5 \times 2 =$	⑰ $9 \times 8 =$	⑱ $2 \times 6 =$
⑲ $2 \times 3 =$	⑳ $4 \times 5 =$	㉑ $9 \times 3 =$
㉒ $2 \times 7 =$	㉓ $5 \times 5 =$	㉔ $4 \times 7 =$

MEMO

4주차

3의 단, 6의 단

3의 단 곱셈과 6의 단 곱셈을 외우도록 합니다. 그림을 보고 한 문제, 한 문제 곱셈구구를 하면서 해결하여 곱셈구구를 외울 수 있도록 한 후, 곱셈구구표와 연산 퍼즐을 다루어 곱셈을 연습합니다.

3의 단

풍선을 3개씩 묶었습니다. 풍선의 개수를 구하세요.

①  □개

② 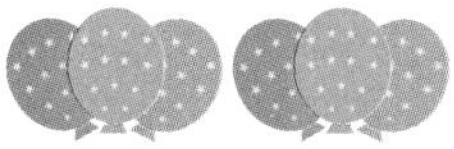 □개

③  □개

④ 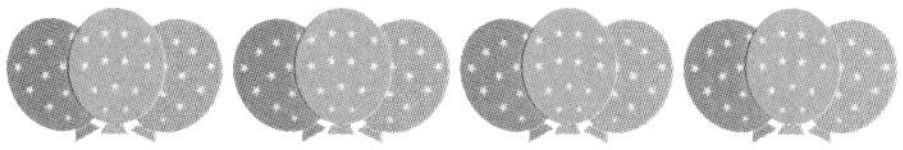 □개

⑤  □개

⑥ 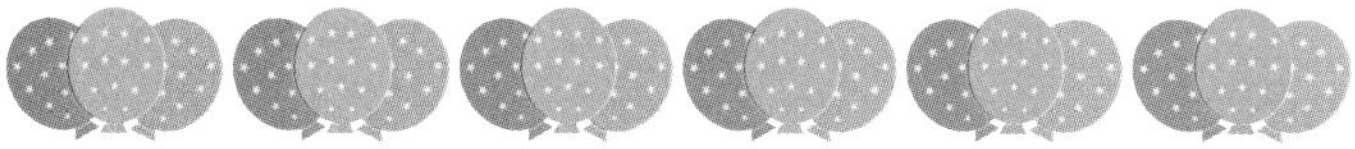 □개

⑦  □개

⑧ 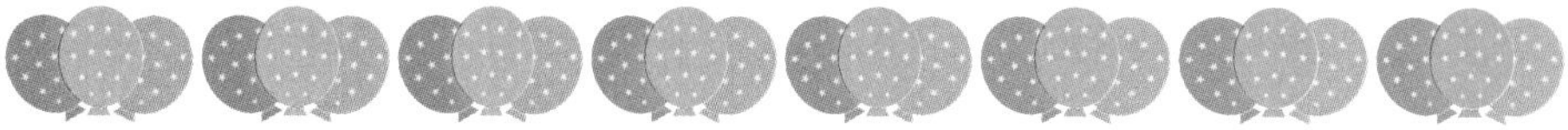 □개

⑨  □개

사탕이 몇 개인지 곱셈식으로 알아보세요.

① $3 \times \square = \square$

② $3 \times \square = \square$

③ $3 \times \square = \square$

④ $3 \times \square = \square$

⑤ $3 \times \square = \square$

⑥ $3 \times \square = \square$

⑦ $3 \times \square = \square$

⑧ $3 \times \square = \square$

⑨ $3 \times \square = \square$

Tip
곱셈을 생략하고 삼일은 삼, 삼이는 육, 삼삼은 구와 같이 읽도록 하세요.

세발자전거의 바퀴의 개수를 3의 단 곱셈을 이용하여 세어 보세요.

①

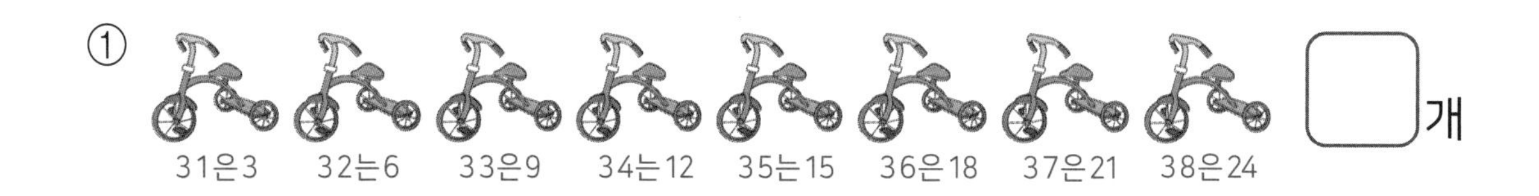

☐개

②

☐개

③

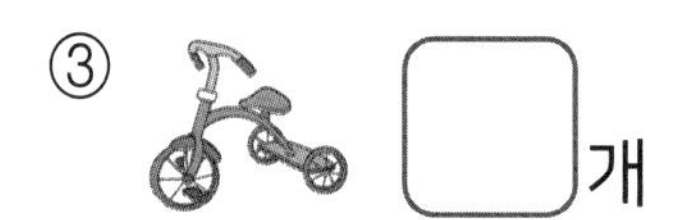

☐개

④

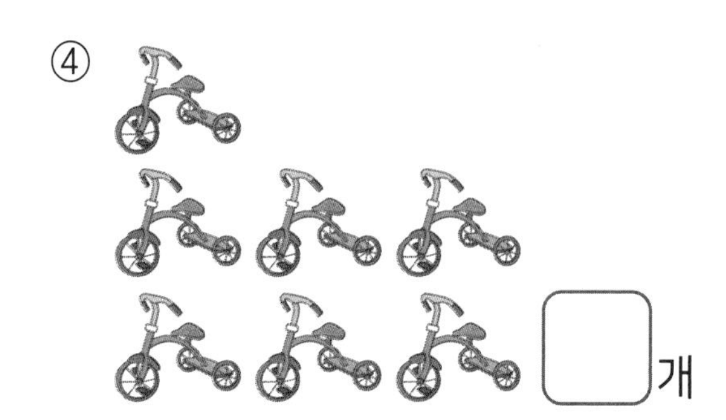

☐개

⑤

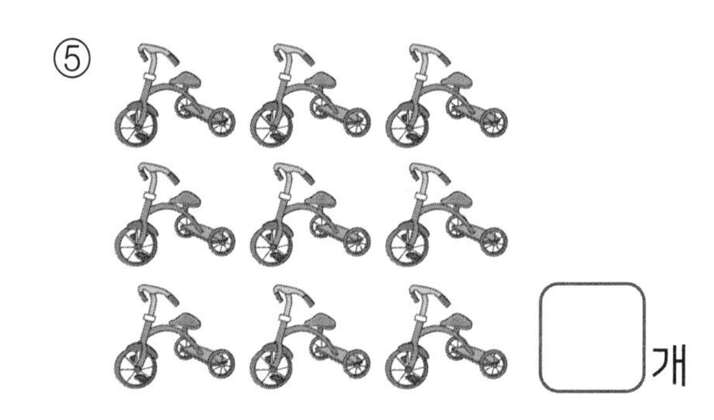

☐개

⑥ ☐개

⑦

☐개

⑧ ☐개

⑨ ☐개

2 일

6의 단

주사위의 눈의 개수를 세어 보세요.

① □개

② □개

③ □개

④ □개

⑤ □개

⑥ □개

⑦ □개

⑧ □개

⑨ □개

6씩 뛰어 센 수를 곱셈식으로 알아보세요.

① 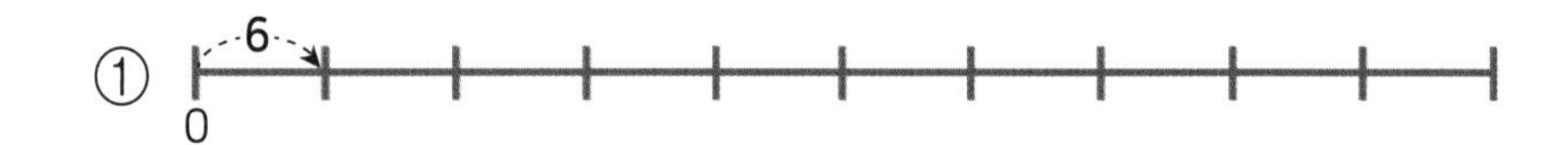 6 × ☐ = ☐

② 6 × ☐ = ☐

③ 6 × ☐ = ☐

④ 6 × ☐ = ☐

⑤ 6 × ☐ = ☐

⑥ 6 × ☐ = ☐

⑦ 6 × ☐ = ☐

⑧ 6 × ☐ = ☐

⑨ 6 × ☐ = ☐

Tip 곱셈을 생략하고 육일은 육, 육이는 십이, 육삼은 십팔과 같이 읽도록 하세요.

무당벌레는 다리가 6개입니다. 무당벌레의 다리의 개수를 6의 단 곱셈을 이용하여 세어 보세요.

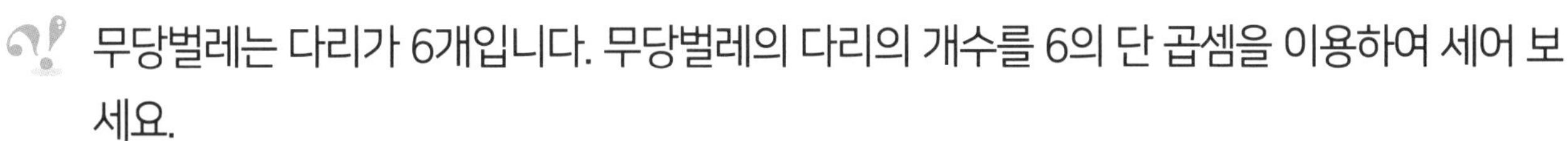

①

61은6　62는12　63은18　64는24

□개

65는30　66은36　67은42　68은48

②

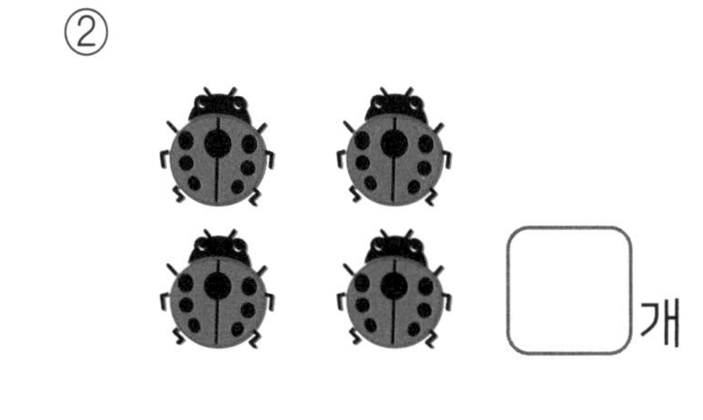

□개

③

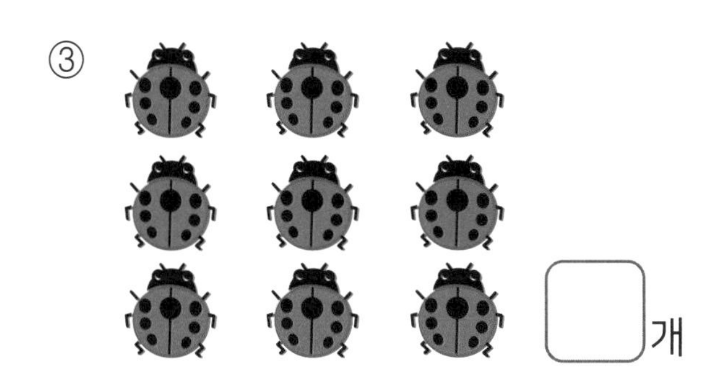

□개

④

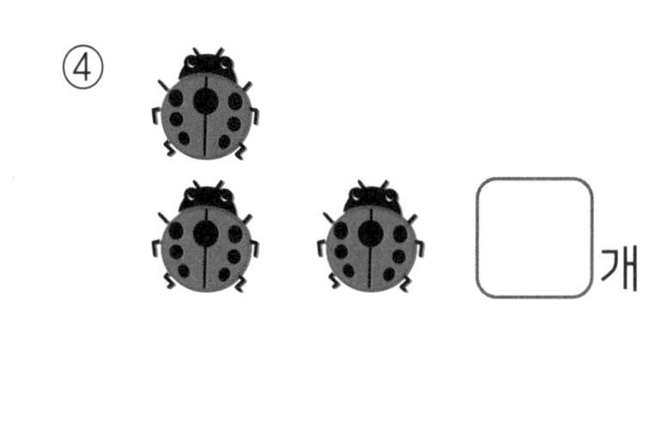

□개

⑤

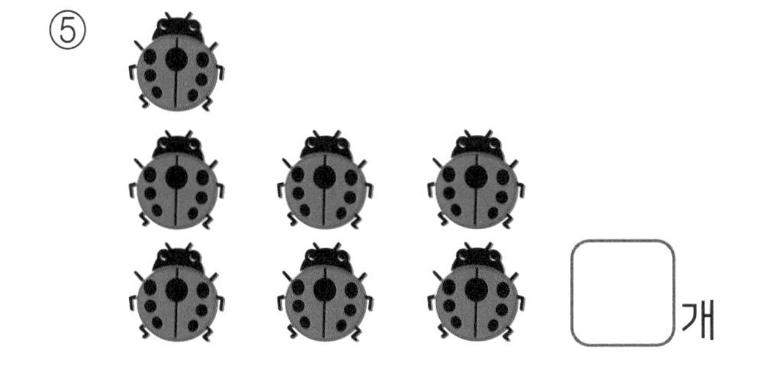

□개

⑥

□개

⑦

□개

⑧

□개

⑨

□개

곱셈구구표

공부한 날! 월 일

곱셈구구표를 완성하세요.

①

×	5	6	7	8
3				
6				

②

×	1	2	3	4
3				
6				

③

×	3	4	5	6	7
3					
6					

④

×	7	8	9
3			
6			

⑤

×	2	4	6	8
3				
6				

⑥

×	3	5	7	9
3				
6				

⑦

×	1	2	3	4	5	6	7	8	9
3									
6									

곱셈을 계산하세요.

① $3 \times 6 =$

② $6 \times 7 =$

③ $3 \times 9 =$

④ $3 \times 5 =$

⑤ $3 \times 4 =$

⑥ $6 \times 6 =$

⑦ $6 \times 4 =$

⑧ $3 \times 2 =$

⑨ $6 \times 9 =$

⑩ $3 \times 8 =$

⑪ $3 \times 3 =$

⑫ $6 \times 5 =$

⑬ $6 \times 8 =$

⑭ $6 \times 2 =$

⑮ $3 \times 7 =$

⑯ $6 \times 7 =$

⑰ $3 \times 9 =$

⑱ $3 \times 4 =$

⑲ $3 \times 5 =$

⑳ $6 \times 8 =$

㉑ $3 \times 8 =$

㉒ $6 \times 3 =$

㉓ $6 \times 4 =$

㉔ $6 \times 6 =$

연산 퍼즐

공부한 날! 월 일

곱셈구구의 순서대로 수를 선으로 이어 보세요.

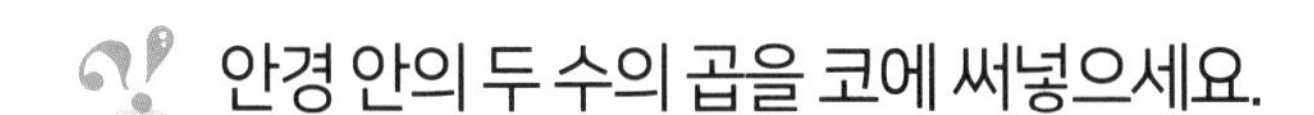

안경 안의 두 수의 곱을 코에 써넣으세요.

① 3 9

② 6 7

③ 3 8

④ 3 5

⑤ 6 9

⑥ 3 7

⑦ 6 3

⑧ 6 5

⑨ 6 8

⑩ 3 2

⑪ 3 4

⑫ 6 6

⑬ 3 3

⑭ 6 2

⑮ 3 6

계산 결과에 알맞게 길을 그려 보세요.

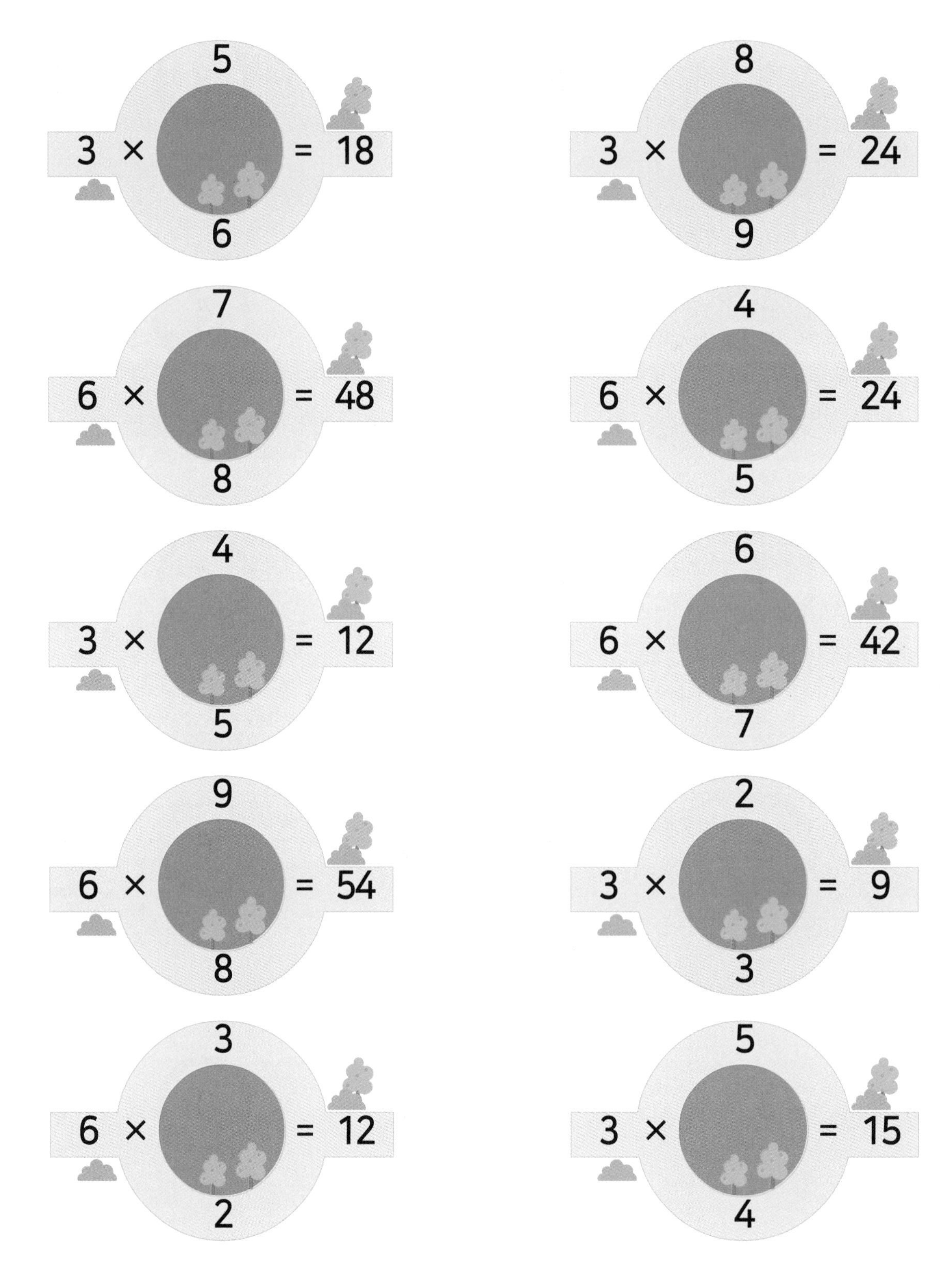

문장제

글과 그림을 보고 물음에 알맞은 식을 세우고 답을 구하세요.

공원에 놀러간 네 친구가 풍선을 똑같이 사서 들고 있습니다.

★ 친구들이 들고 있는 풍선은 모두 몇 개일까요?

식 : $6 \times 4 = 24$ 답 : 24 개

① 친구들이 들고 있는 빨간색 풍선은 모두 몇 개일까요?

식 : ____________ 답 : ______ 개

문제를 읽고 알맞은 식과 답을 써 보세요.

① 무당벌레는 다리가 6개입니다. 현수가 무당벌레 7마리를 잡았습니다. 무당벌레의 다리를 세면 모두 몇 개일까요?

식 : ______________________ 답 : ______ 개

② 놀이터에 세발자전거 6대가 세워져 있습니다. 세발자전거의 바퀴를 세면 모두 몇 개일까요?

식 : ______________________ 답 : ______ 개

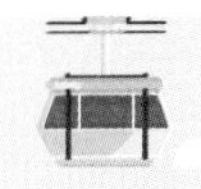

문제를 읽고 알맞은 식과 답을 써 보세요.

① 길이가 6 cm인 나무 막대를 8개 이어 붙이면 전체 길이는 몇 cm일까요?

식 : ______________________ 답 : ______ cm

② 우진이네는 아침, 점심, 저녁으로 식사를 하루에 3번 합니다. 우진이네는 7일 동안 식사를 모두 몇 번 할까요?

식 : ______________________ 답 : ______ 번

③ 한 송이에 꽃잎이 6개씩 달려 있는 꽃이 있습니다. 꽃 5송이에 달려 있는 꽃잎은 모두 몇 개인가요?

식 : ______________________ 답 : ______ 개

문제를 읽고 알맞은 식과 답을 써 보세요.

① 운동장에 3명씩 8줄로 학생들이 줄을 서 있습니다. 줄을 서 있는 학생은 모두 몇 명일까요?

식 : ________________ 답 : ______ 명

② 진웅이가 모으는 곤충 카드는 6종류의 곤충이 있고, 곤충마다 각각 6장의 다른 카드로 이루어져 있습니다. 곤충 카드를 모두 모으면 몇 장이 될까요?

식 : ________________ 답 : ______ 장

③ 하루에 3쪽씩 9일 동안 책을 읽으면 모두 몇 쪽의 책을 읽을 수 있을까요?

식 : ________________ 답 : ______ 쪽

5주차

7의 단, 8의 단

7의 단 곱셈과 8의 단 곱셈을 외우도록 합니다. 그림을 보고 한 문제, 한 문제 곱셈구구를 하면서 해결하여 곱셈구구를 외울 수 있도록 한 후, 곱셈구구표와 연산 퍼즐을 다루어 곱셈을 연습합니다.

7의 단

필통에 연필이 7자루씩 있습니다. 필통의 개수를 보고 연필의 개수를 구하세요.

① 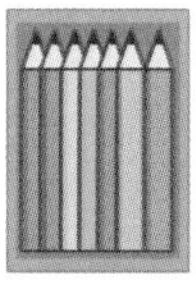 □자루

②  □자루

③  □자루

④  □자루

⑤ 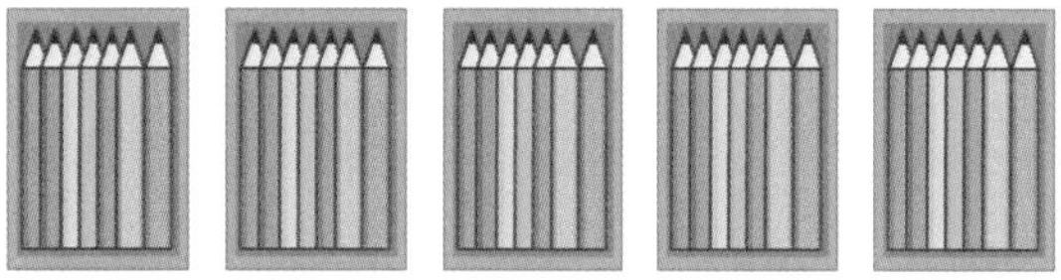 □자루

⑥  □자루

⑦  □자루

⑧  □자루

⑨  □자루

7씩 뛰어 센 수를 곱셈식으로 알아보세요.

① 0 (7) $7 \times \square = \square$

② 0 (7, 7) $7 \times \square = \square$

③ 0 (7, 7, 7) $7 \times \square = \square$

④ 0 (7, 7, 7, 7) $7 \times \square = \square$

⑤ 0 (7, 7, 7, 7, 7) $7 \times \square = \square$

⑥ 0 (7, 7, 7, 7, 7, 7) $7 \times \square = \square$

⑦ 0 (7, 7, 7, 7, 7, 7, 7) $7 \times \square = \square$

⑧ 0 (7, 7, 7, 7, 7, 7, 7, 7) $7 \times \square = \square$

⑨ 0 (7, 7, 7, 7, 7, 7, 7, 7, 7) $7 \times \square = \square$

Tip

곱셈을 생략하고 칠일은 칠, 칠이는 십사, 칠삼은 이십일과 같이 읽도록 하세요.

7색 색연필이 있습니다. 7의 단 곱셈을 이용하여 색연필이 몇 자루인지 구하세요.

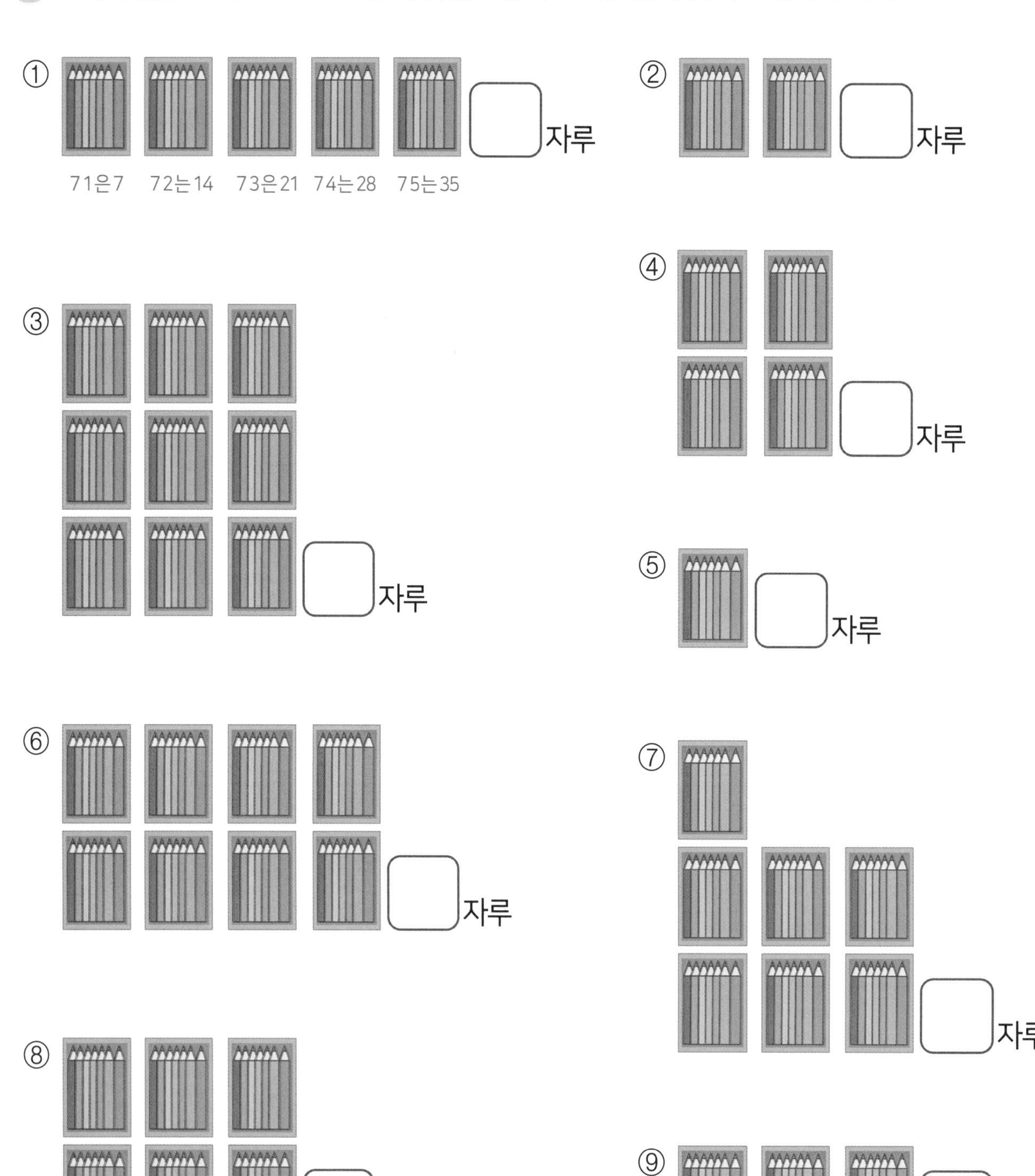

8의 단

계란이 8개씩 포장되어 있습니다. 계란의 개수를 구하세요.

① ☐개

② ☐개

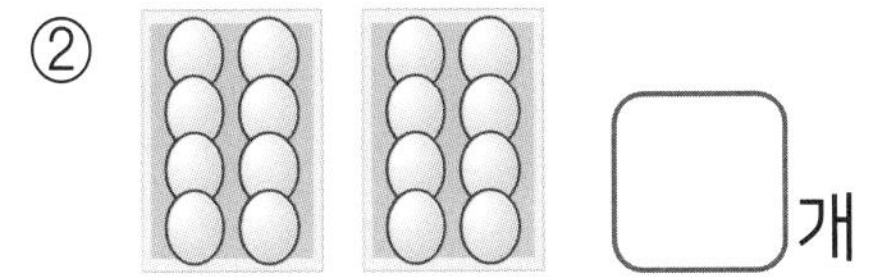

③ ☐개

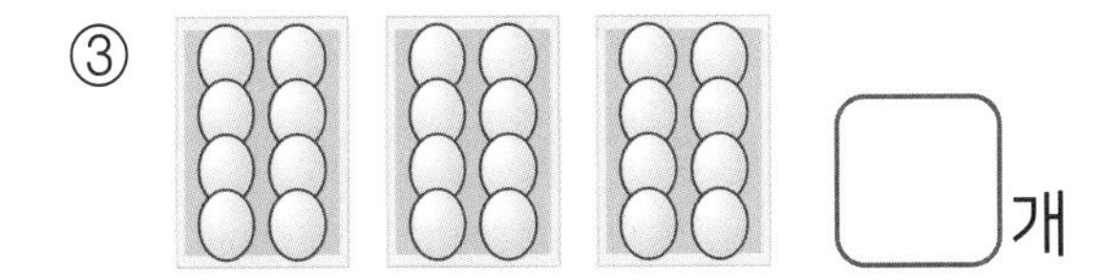

④ ☐개

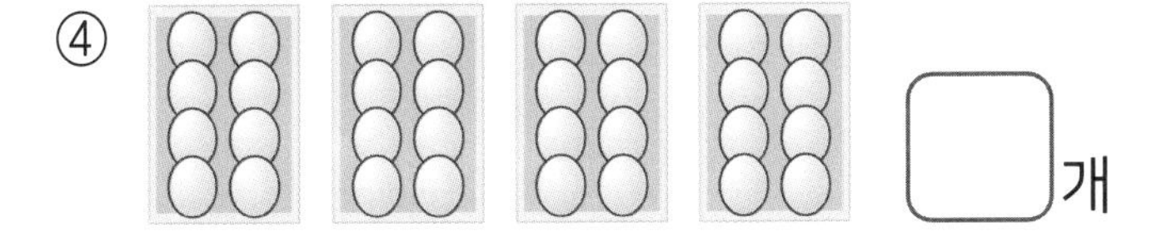

⑤ ☐개

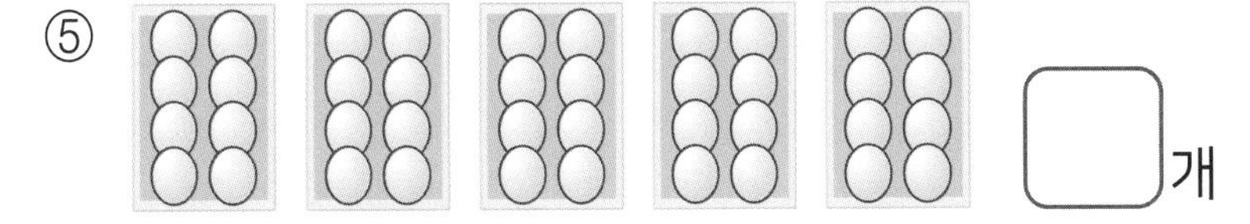

⑥ ☐개

⑦ ☐개

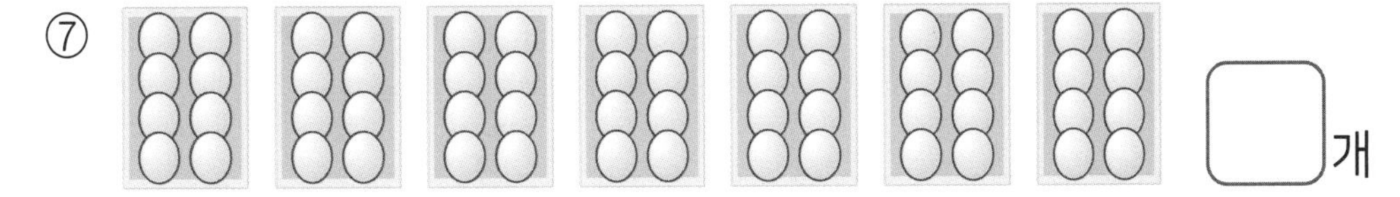

⑧ ☐개

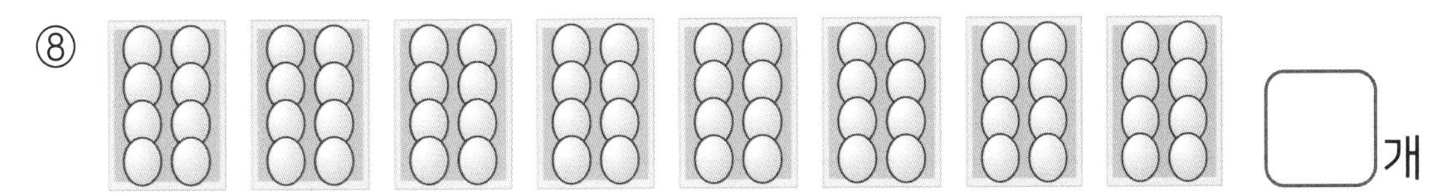

⑨ ☐개

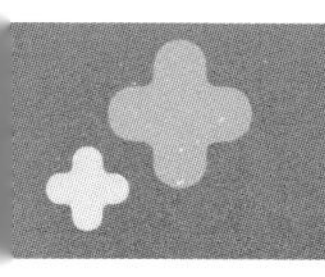

8씩 뛰어 센 수를 곱셈식으로 알아보세요.

① 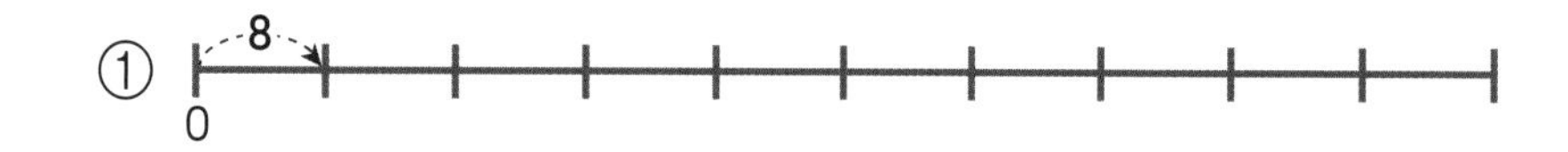

$8 \times \square = \square$

② 0 (8, 8)　$8 \times \square = \square$

③ 0 (8, 8, 8)　$8 \times \square = \square$

④ 0 (8, 8, 8, 8)　$8 \times \square = \square$

⑤ 0 (8, 8, 8, 8, 8)　$8 \times \square = \square$

⑥ 0 (8, 8, 8, 8, 8, 8)　$8 \times \square = \square$

⑦ 0 (8, 8, 8, 8, 8, 8, 8)　$8 \times \square = \square$

⑧ 0 (8, 8, 8, 8, 8, 8, 8, 8)　$8 \times \square = \square$

⑨ 0 (8, 8, 8, 8, 8, 8, 8, 8, 8)　$8 \times \square = \square$

Tip

곱셈을 생략하고 팔일은 팔, 팔이는 십육, 팔삼은 이십사와 같이 읽도록 하세요.

문어 1마리는 다리가 8개입니다. 8의 단 곱셈을 이용하여 문어의 다리의 개수를 구하세요.

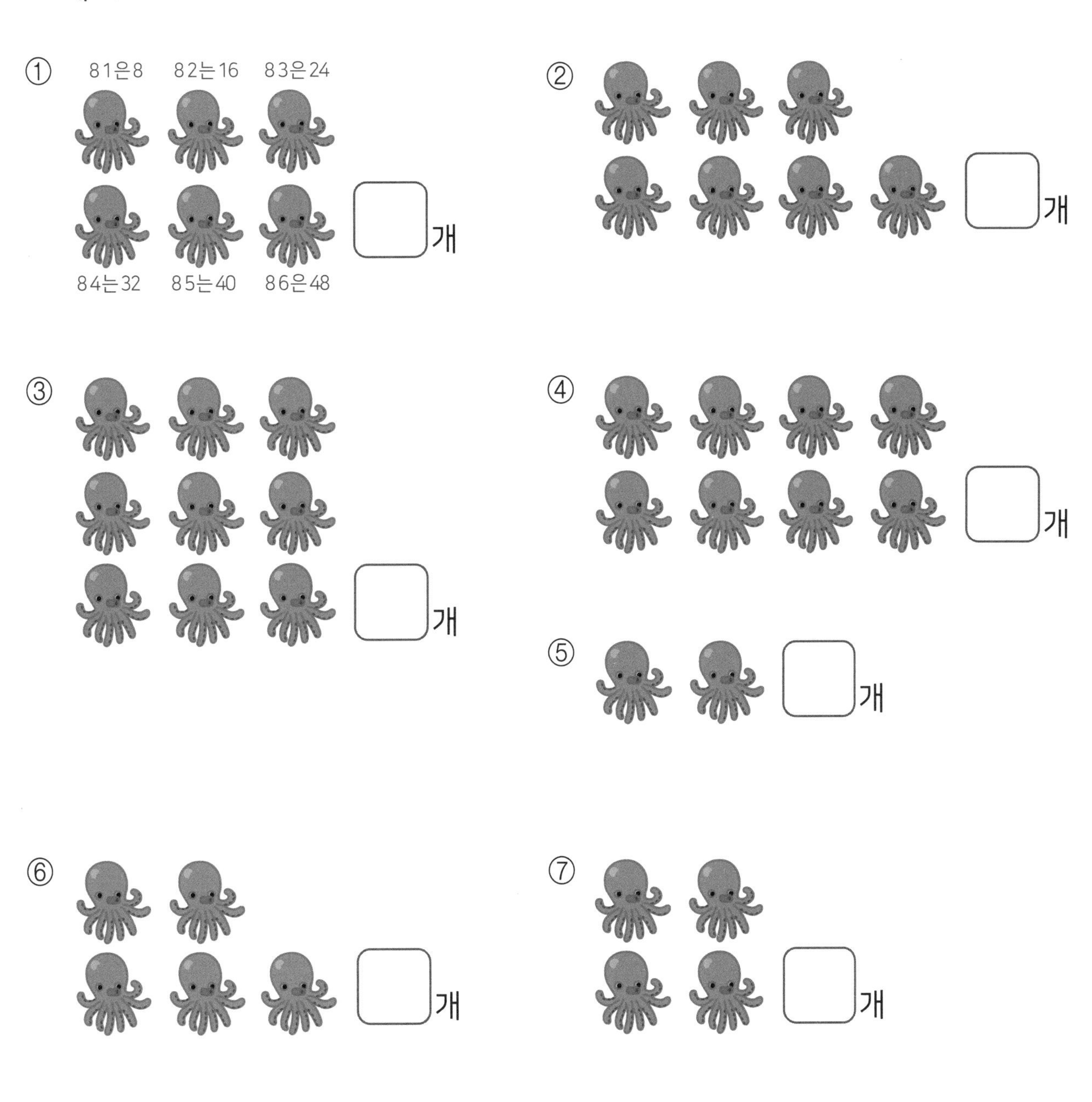

곱셈구구표

곱셈구구표를 완성하세요.

①

×	5	6	7	8
7				
8				

②

×	1	2	3	4
7				
8				

③

×	3	4	5	6	7
7					
8					

④

×	7	8	9
7			
8			

⑤

×	2	4	6	8
7				
8				

⑥

×	3	5	7	9
7				
8				

⑦

×	1	2	3	4	5	6	7	8	9
7									
8									

곱셈을 계산하세요.

① $7 \times 3 =$

② $8 \times 4 =$

③ $7 \times 9 =$

④ $7 \times 6 =$

⑤ $7 \times 8 =$

⑥ $7 \times 2 =$

⑦ $8 \times 8 =$

⑧ $8 \times 5 =$

⑨ $8 \times 9 =$

⑩ $7 \times 4 =$

⑪ $8 \times 3 =$

⑫ $7 \times 7 =$

⑬ $8 \times 6 =$

⑭ $8 \times 2 =$

⑮ $7 \times 5 =$

⑯ $7 \times 9 =$

⑰ $8 \times 4 =$

⑱ $7 \times 4 =$

⑲ $7 \times 6 =$

⑳ $7 \times 3 =$

㉑ $8 \times 7 =$

㉒ $7 \times 2 =$

㉓ $8 \times 5 =$

㉔ $8 \times 9 =$

연산 퍼즐

곱셈구구의 순서대로 수를 선으로 이어 보세요.

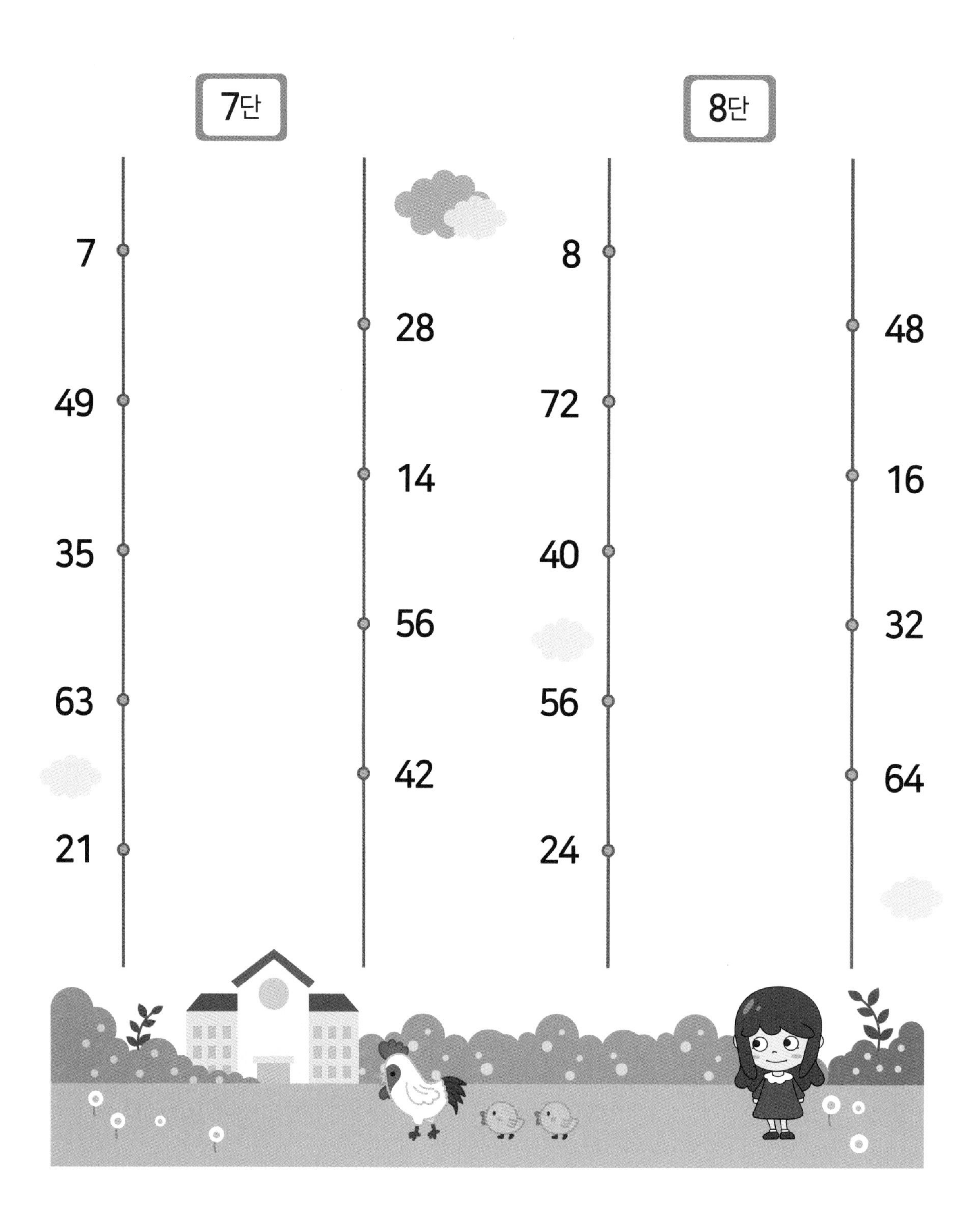

빈 곳에 알맞은 수를 써넣으세요.

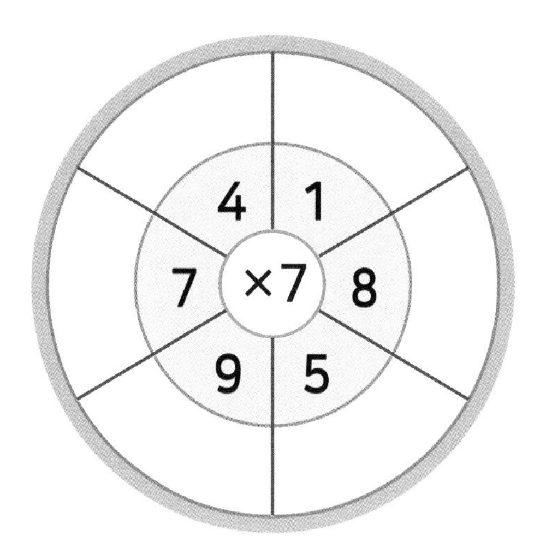

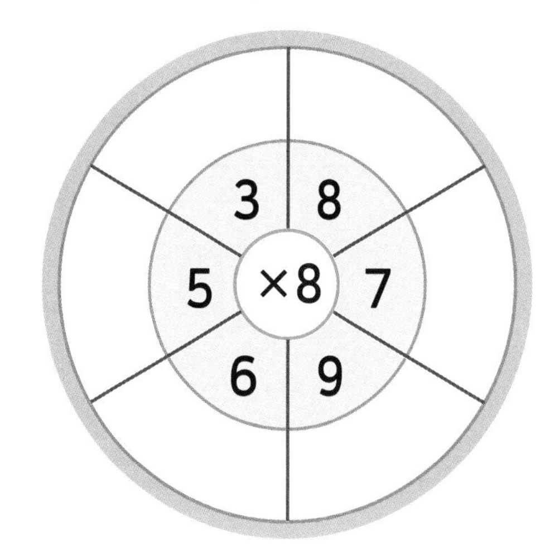

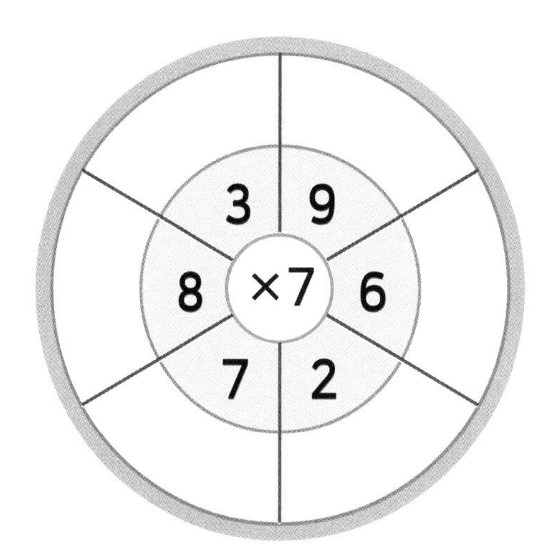

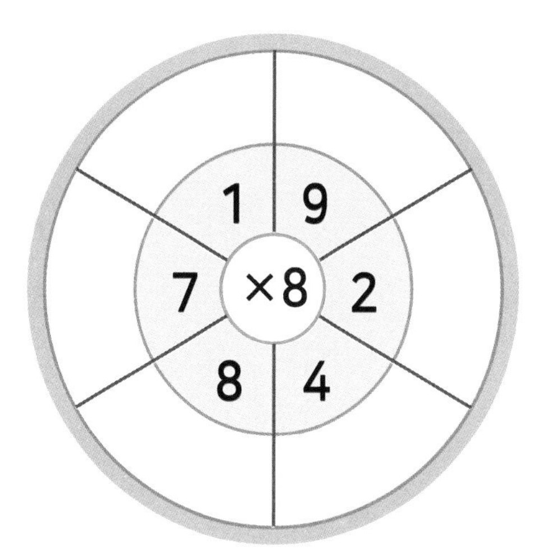

계산 결과가 올바른 칸을 색칠해 보세요.

$7 \times 5 = 35$	$8 \times 4 = 32$	$7 \times 6 = 13$
$7 \times 6 = 32$	$8 \times 7 = 56$	$8 \times 9 = 73$
$7 \times 4 = 29$	$7 \times 9 = 63$	$8 \times 2 = 12$
$7 \times 3 = 23$	$8 \times 5 = 40$	$7 \times 6 = 44$
$8 \times 6 = 48$	$7 \times 7 = 49$	$7 \times 5 = 35$

$7 \times 9 = 64$	$8 \times 8 = 64$	$8 \times 3 = 32$
$8 \times 7 = 58$	$7 \times 5 = 35$	$8 \times 2 = 18$
$7 \times 6 = 42$	$8 \times 9 = 72$	$8 \times 5 = 40$
$8 \times 2 = 14$	$7 \times 2 = 14$	$7 \times 4 = 27$
$7 \times 3 = 20$	$8 \times 6 = 48$	$7 \times 5 = 34$

문장제

글과 그림을 보고 물음에 알맞은 식을 세우고 답을 구하세요.

호진이네 반은 한 달에 한 번 합동 생일 파티를 합니다. 이번 달에 생일인 친구는 5명이기 때문에 선물 상자를 5개 준비했습니다.

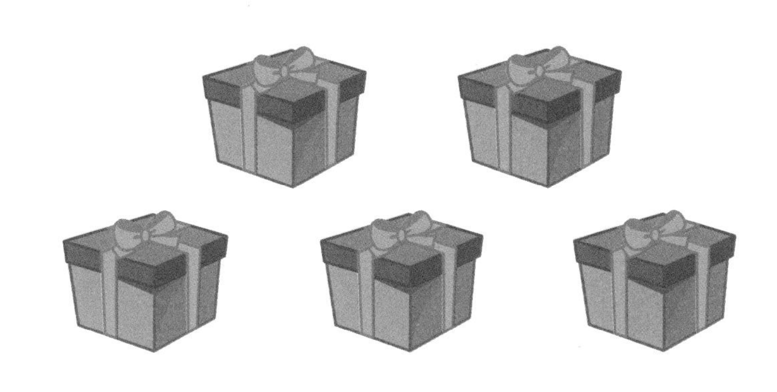

★ 선물 상자에 사탕을 7개씩 넣으면 사탕을 모두 몇 개 준비해야 할까요?

식: $7 \times 5 = 35$　　　답: 35 개

① 선물 상자에 사탕을 8개씩 넣으면 사탕을 모두 몇 개 준비해야 할까요?

식: ________________　　　답: ____ 개

문제를 읽고 알맞은 식과 답을 써 보세요.

① 8장의 종이를 겹쳐 놓고 송곳으로 4곳에 구멍을 뚫으면 구멍은 모두 몇 개가 생길까요?

식 : ______________________ 답 : ______ 개

② 주일이네 집에는 하루에 우유가 7개씩 옵니다. 3일 동안 빠짐없이 우유가 온다면 우유는 모두 몇 개가 올까요?

식 : ______________________ 답 : ______ 개

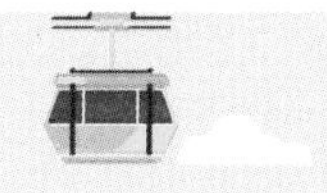

문제를 읽고 알맞은 식과 답을 써 보세요.

① 영진이는 매년 7 cm씩 키가 컸습니다. 영진이는 4년 동안 키가 몇 cm 자랐을까요?

식 : ______________________ 답 : ______ cm

② 수진이는 계단으로 한 층 올라가는 데 7초가 걸립니다. 수진이가 1층에서 출발해서 3층에 도착하는 데 몇 초가 걸릴까요?

식 : ______________________ 답 : ______ 초

③ 통조림 1통에는 8조각의 복숭아가 들어 있습니다. 6통의 통조림에는 모두 몇 조각의 복숭아가 들어 있을까요?

식 : ______________________ 답 : ______ 조각

문제를 읽고 알맞은 식과 답을 써 보세요.

① 명절이 되면 밤을 까는 것은 아버지가 담당합니다. 아버지가 1분에 8개의 밤을 깐다면 3분 동안 몇 개의 밤을 깔 수 있을까요?

식 : ________________ 답 : ______ 개

② 민준이가 귤을 먹으면서 세어보니 귤 1개에는 항상 8조각의 귤이 들어 있습니다. 귤 7개를 먹으면 귤을 몇 조각 먹을 수 있을까요?

식 : ________________ 답 : ______ 조각

③ 어느 김밥 가게에서는 김밥을 쌀 때, 1줄의 김밥을 똑같은 간격으로 7개씩 자릅니다. 김밥을 9줄 싸면 잘린 김밥은 몇 개가 나올까요?

식 : ________________ 답 : ______ 개

6주차

도전! 계산왕

곱셈구구

공부한 날	월 일
점 수	/ 24

곱셈을 계산하세요.

① $7 \times 8 =$

② $3 \times 3 =$

③ $8 \times 2 =$

④ $3 \times 2 =$

⑤ $6 \times 2 =$

⑥ $8 \times 5 =$

⑦ $3 \times 7 =$

⑧ $6 \times 8 =$

⑨ $6 \times 9 =$

⑩ $7 \times 3 =$

⑪ $6 \times 6 =$

⑫ $8 \times 7 =$

⑬ $3 \times 6 =$

⑭ $6 \times 9 =$

⑮ $7 \times 7 =$

⑯ $3 \times 9 =$

⑰ $6 \times 4 =$

⑱ $8 \times 8 =$

⑲ $8 \times 3 =$

⑳ $7 \times 2 =$

㉑ $3 \times 8 =$

㉒ $7 \times 5 =$

㉓ $8 \times 2 =$

㉔ $8 \times 5 =$

곱셈구구

공부한 날	월 일
점 수	/ 24

곱셈을 계산하세요.

① $8 \times 8 =$

② $3 \times 3 =$

③ $7 \times 9 =$

④ $6 \times 4 =$

⑤ $3 \times 5 =$

⑥ $6 \times 7 =$

⑦ $7 \times 6 =$

⑧ $8 \times 2 =$

⑨ $6 \times 8 =$

⑩ $6 \times 5 =$

⑪ $7 \times 2 =$

⑫ $6 \times 9 =$

⑬ $3 \times 9 =$

⑭ $8 \times 6 =$

⑮ $6 \times 6 =$

⑯ $8 \times 9 =$

⑰ $6 \times 8 =$

⑱ $7 \times 5 =$

⑲ $8 \times 7 =$

⑳ $7 \times 4 =$

㉑ $3 \times 8 =$

㉒ $6 \times 3 =$

㉓ $3 \times 7 =$

㉔ $7 \times 7 =$

곱셈구구

공부한 날	월 일
점 수	/ 24

곱셈을 계산하세요.

① $3 \times 2 =$ ② $3 \times 7 =$ ③ $7 \times 6 =$

④ $6 \times 3 =$ ⑤ $6 \times 6 =$ ⑥ $6 \times 9 =$

⑦ $3 \times 3 =$ ⑧ $6 \times 8 =$ ⑨ $8 \times 6 =$

⑩ $8 \times 7 =$ ⑪ $7 \times 9 =$ ⑫ $3 \times 9 =$

⑬ $8 \times 4 =$ ⑭ $6 \times 5 =$ ⑮ $3 \times 8 =$

⑯ $6 \times 4 =$ ⑰ $6 \times 7 =$ ⑱ $7 \times 8 =$

⑲ $8 \times 5 =$ ⑳ $7 \times 5 =$ ㉑ $3 \times 4 =$

㉒ $7 \times 4 =$ ㉓ $7 \times 2 =$ ㉔ $8 \times 8 =$

곱셈구구

공부한 날	월 일
점 수	/ 24

곱셈을 계산하세요.

① $8 \times 7 =$ ② $7 \times 9 =$ ③ $6 \times 8 =$

④ $7 \times 3 =$ ⑤ $3 \times 6 =$ ⑥ $3 \times 5 =$

⑦ $8 \times 5 =$ ⑧ $6 \times 3 =$ ⑨ $3 \times 9 =$

⑩ $7 \times 4 =$ ⑪ $3 \times 8 =$ ⑫ $8 \times 9 =$

⑬ $8 \times 4 =$ ⑭ $6 \times 4 =$ ⑮ $6 \times 6 =$

⑯ $3 \times 2 =$ ⑰ $7 \times 2 =$ ⑱ $6 \times 9 =$

⑲ $8 \times 6 =$ ⑳ $3 \times 7 =$ ㉑ $7 \times 8 =$

㉒ $8 \times 8 =$ ㉓ $6 \times 7 =$ ㉔ $7 \times 7 =$

곱셈구구

공부한 날	월 일
점수	/ 24

곱셈을 계산하세요.

① $8 \times 7 =$

② $7 \times 2 =$

③ $8 \times 2 =$

④ $6 \times 5 =$

⑤ $7 \times 6 =$

⑥ $8 \times 9 =$

⑦ $6 \times 7 =$

⑧ $3 \times 8 =$

⑨ $3 \times 2 =$

⑩ $6 \times 4 =$

⑪ $3 \times 9 =$

⑫ $8 \times 3 =$

⑬ $6 \times 8 =$

⑭ $3 \times 3 =$

⑮ $3 \times 6 =$

⑯ $3 \times 7 =$

⑰ $8 \times 1 =$

⑱ $7 \times 7 =$

⑲ $6 \times 6 =$

⑳ $8 \times 5 =$

㉑ $8 \times 8 =$

㉒ $7 \times 3 =$

㉓ $8 \times 4 =$

㉔ $6 \times 9 =$

곱셈구구

공부한 날	월 일
점 수	/ 24

곱셈을 계산하세요.

① $6 \times 8 =$ ② $3 \times 7 =$ ③ $7 \times 4 =$

④ $8 \times 9 =$ ⑤ $7 \times 8 =$ ⑥ $3 \times 5 =$

⑦ $8 \times 5 =$ ⑧ $8 \times 3 =$ ⑨ $8 \times 8 =$

⑩ $3 \times 3 =$ ⑪ $3 \times 6 =$ ⑫ $6 \times 9 =$

⑬ $7 \times 2 =$ ⑭ $7 \times 6 =$ ⑮ $3 \times 2 =$

⑯ $6 \times 7 =$ ⑰ $7 \times 5 =$ ⑱ $8 \times 6 =$

⑲ $6 \times 3 =$ ⑳ $8 \times 4 =$ ㉑ $6 \times 6 =$

㉒ $3 \times 9 =$ ㉓ $8 \times 7 =$ ㉔ $3 \times 8 =$

곱셈구구

공부한 날	월 일
점 수	/ 24

곱셈을 계산하세요.

① $8 \times 2 =$ ② $7 \times 6 =$ ③ $6 \times 9 =$

④ $8 \times 9 =$ ⑤ $3 \times 6 =$ ⑥ $7 \times 8 =$

⑦ $3 \times 1 =$ ⑧ $6 \times 7 =$ ⑨ $7 \times 4 =$

⑩ $6 \times 5 =$ ⑪ $3 \times 5 =$ ⑫ $7 \times 7 =$

⑬ $8 \times 3 =$ ⑭ $8 \times 4 =$ ⑮ $6 \times 3 =$

⑯ $6 \times 4 =$ ⑰ $3 \times 9 =$ ⑱ $3 \times 3 =$

⑲ $8 \times 8 =$ ⑳ $7 \times 2 =$ ㉑ $8 \times 7 =$

㉒ $3 \times 8 =$ ㉓ $8 \times 6 =$ ㉔ $3 \times 4 =$

곱셈구구

공부한 날	월 일
점 수	/ 24

곱셈을 계산하세요.

① $3 \times 8 =$

② $6 \times 6 =$

③ $7 \times 5 =$

④ $8 \times 6 =$

⑤ $7 \times 8 =$

⑥ $3 \times 7 =$

⑦ $6 \times 4 =$

⑧ $7 \times 3 =$

⑨ $6 \times 3 =$

⑩ $6 \times 2 =$

⑪ $8 \times 7 =$

⑫ $3 \times 2 =$

⑬ $3 \times 6 =$

⑭ $7 \times 2 =$

⑮ $8 \times 8 =$

⑯ $7 \times 9 =$

⑰ $8 \times 2 =$

⑱ $6 \times 9 =$

⑲ $7 \times 7 =$

⑳ $3 \times 9 =$

㉑ $6 \times 5 =$

㉒ $6 \times 7 =$

㉓ $8 \times 9 =$

㉔ $7 \times 4 =$

곱셈구구

공부한 날	월 일
점 수	/ 24

곱셈을 계산하세요.

① $3 \times 2 =$ ② $8 \times 5 =$ ③ $6 \times 6 =$

④ $7 \times 3 =$ ⑤ $8 \times 3 =$ ⑥ $7 \times 8 =$

⑦ $8 \times 6 =$ ⑧ $3 \times 7 =$ ⑨ $6 \times 3 =$

⑩ $8 \times 1 =$ ⑪ $8 \times 9 =$ ⑫ $7 \times 6 =$

⑬ $3 \times 6 =$ ⑭ $8 \times 2 =$ ⑮ $6 \times 7 =$

⑯ $3 \times 4 =$ ⑰ $3 \times 3 =$ ⑱ $8 \times 8 =$

⑲ $6 \times 3 =$ ⑳ $6 \times 8 =$ ㉑ $3 \times 5 =$

㉒ $7 \times 4 =$ ㉓ $8 \times 4 =$ ㉔ $7 \times 5 =$

곱셈구구

공부한 날	월 일
점 수	/ 24

곱셈을 계산하세요.

① $6 \times 2 =$

② $6 \times 4 =$

③ $7 \times 4 =$

④ $8 \times 3 =$

⑤ $7 \times 3 =$

⑥ $3 \times 4 =$

⑦ $6 \times 6 =$

⑧ $8 \times 5 =$

⑨ $3 \times 5 =$

⑩ $3 \times 8 =$

⑪ $8 \times 8 =$

⑫ $7 \times 9 =$

⑬ $7 \times 2 =$

⑭ $3 \times 9 =$

⑮ $8 \times 6 =$

⑯ $6 \times 7 =$

⑰ $8 \times 4 =$

⑱ $7 \times 7 =$

⑲ $3 \times 2 =$

⑳ $6 \times 5 =$

㉑ $7 \times 9 =$

㉒ $6 \times 9 =$

㉓ $7 \times 6 =$

㉔ $8 \times 7 =$

MEMO

 1000math.com

홈페이지

· 천종현수학연구소 소개 및 학습 자료 공유
· 출판 교재, 연구소 굿즈 구입

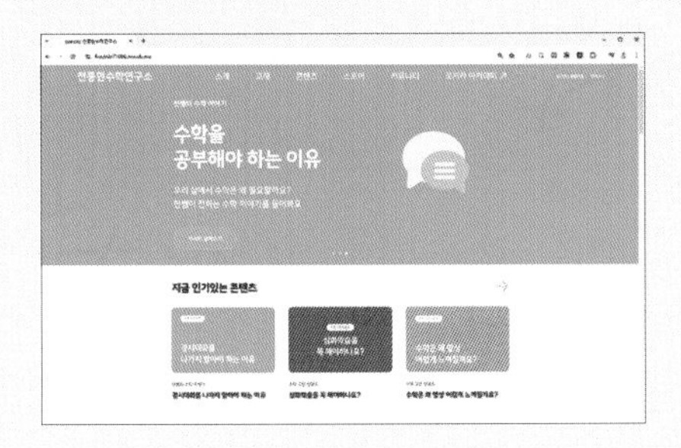

 cafe.naver.com/maths1000

네이버카페

· 다양한 이벤트 및 '천쌤수학학습단' 진행
· 학습 상담 게시판 운영

 https://www.instagram.com/1000maths

인스타그램

· 수학고민상담소 '천쌤에게 물어보셈' 릴스 보기
· 가장 빠르게 만나는 연구소 소식 및 이벤트

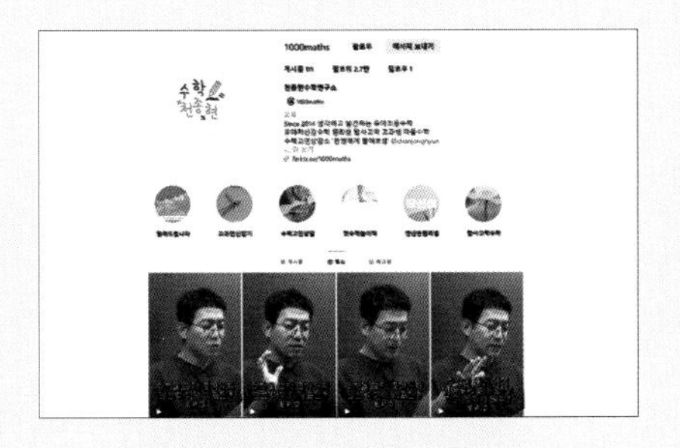

 https://www.youtube.com/@1000math4U

유튜브

· 인스타 라이브방송 '천쌤에게 물어보셈' 다시 보기
· 고민 상담 사례 및 수학교육 기획 콘텐츠

천종현수학연구소는

유아 초등 수학 교재와 **콘텐츠**를 꾸준히 **개발**하고 있습니다. 네이버에 '**천종현수학연구소**'를 검색하시거나 **인스타그램**, **유튜브** 등 다양한 채널을 통해서도 **연산**과 **사고력 수학**, **교과 심화 학습**에 대한 **노하우**와 **정보**를 다양하게 제공합니다. 지금 바로 만나보세요.

SINCE **2014**

천종현수학연구소 출판 교재

01
유아 자신감 수학

썼다 지웠다 붙였다 뗐다
우리 아이의 첫 수학 교재

02
TOP 사고력 수학

실력도 탑! 재미도 탑!
사고력 수학의 으뜸

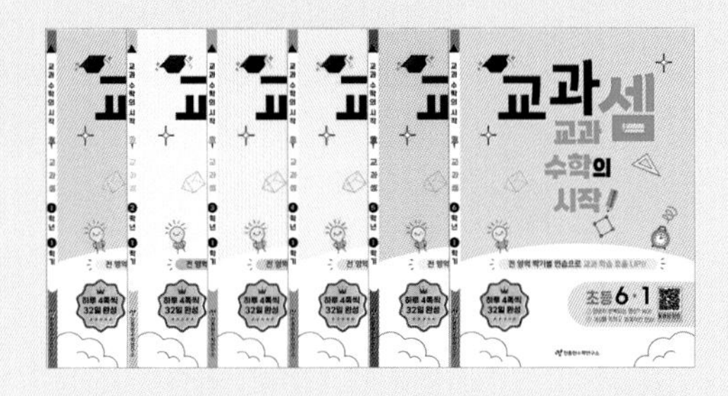

03
교과셈

사칙연산+도형, 측정, 경우의 수까지
반복 학습이 필요한 초등 연산 완성

04
따풀 수학

다양한 개념과 해결 방법을 배우는
배움이 있는 학습지

05
초등 사고력 수학의 원리/전략

진정한 수학 실력은 원리의 이해와 문제 해결 전략에서
재미있게 읽는 17년 초등 사고력 수학의 노하우!!

교과 과정
완벽 대비
★★★★★

초등 | 수학 전문가가 만든 연산 교재

원리셈

천종현 지음

2학년 5

곱셈구구

천종현수학연구소

10쪽

① 6

② 0

③ 3

④ 0

11쪽

① 1

② 2

③ 3

④ 4

⑤ 5

⑥ 6

⑦ 7

⑧ 8

⑨ 9

12쪽

① 2

② 4

③ 6

④ 8

⑤ 10

⑥ 12

⑦ 14

⑧ 16

⑨ 18

13쪽

① 1, 2

② 2, 4

③ 3, 6

④ 4, 8

⑤ 5, 10

⑥ 6, 12

⑦ 7, 14

⑧ 8, 16

⑨ 9, 18

14쪽

① 8 ② 4

③ 10 ④ 2

⑤ 8 ⑥ 6

⑦ 18 ⑧ 12

⑨ 16

⑩ 14

15쪽

① 4

② 8

③ 12

④ 16

⑤ 20

⑥ 24

⑦ 28

⑧ 32

⑨ 36

16쪽

① 1, 4

② 2, 8

③ 3, 12

④ 4, 16

⑤ 5, 20

⑥ 6, 24

⑦ 7, 28

⑧ 8, 32

⑨ 9, 36

17쪽

① 24 ② 16 ③ 32

④ 4 ⑤ 12 ⑥ 20

⑦ 36 ⑧ 28 ⑨ 8

18쪽

① 3, 4
6, 8
4, 8, 12, 16

② 10, 12, 14, 16
20, 24, 28, 32

③ 6, 8, 10, 12, 14
12, 16, 20, 24, 28

④ 14, 16, 18
28, 32, 36

⑤ 2, 4, 6, 8
4, 8, 12, 16
8, 16, 24, 32

⑥ 3, 5, 7, 9
6, 10, 14, 18
12, 20, 28, 36

⑦ 2, 4, 6, 8, 10, 12, 14, 16, 18
4, 8, 12, 16, 20, 24, 28, 32, 36

19쪽

① 10 ② 28 ③ 9

④ 32 ⑤ 20 ⑥ 14

⑦ 8 ⑧ 6 ⑨ 36

⑩ 18 ⑪ 16 ⑫ 4

⑬ 3 ⑭ 6 ⑮ 16

⑯ 8 ⑰ 2 ⑱ 24

⑲ 12 ⑳ 12 ㉑ 0

㉒ 0 ㉓ 7 ㉔ 4

20쪽

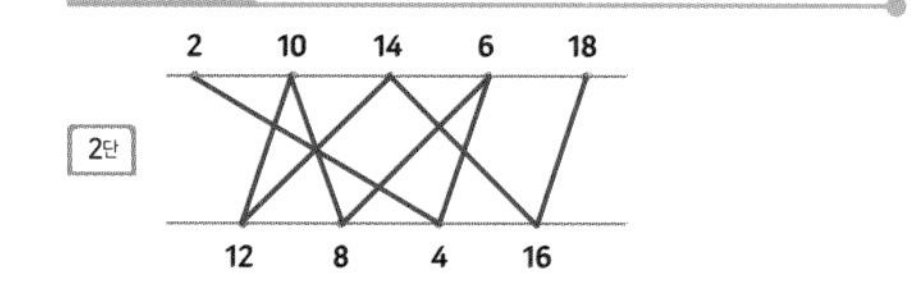

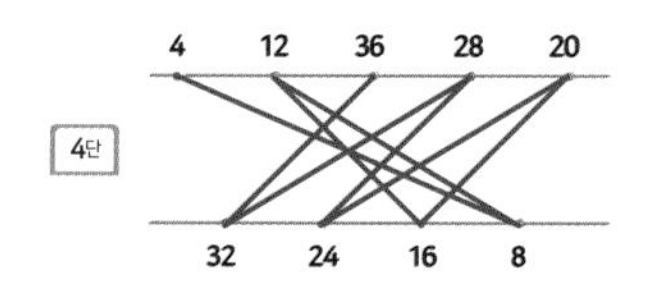

21쪽

① 8 ② 24

③ 28 ④ 16 ⑤ 12

⑥ 12 ⑦ 20 ⑧ 10

⑨ 6 ⑩ 16 ⑪ 4

⑫ 36 ⑬ 2 ⑭ 18

⑮ 32 ⑯ 4 ⑰ 8

22쪽

① 4×2=8, 8

23쪽

① 2×4=8, 8

② 2×9=18, 18

③ 2×6=12, 12

④ 4×6=24, 24

24쪽

① 4×5=20, 20

② 4×6=24, 24

③ 4×7=28, 28

④ 2×8=16, 16

2주차 - 5의 단, 9의 단

26쪽

① 5

② 10

③ 15

④ 20

⑤ 25

⑥ 30

⑦ 35

⑧ 40

⑨ 45

27쪽

① 1, 5

② 2, 10

③ 3, 15

④ 4, 20

⑤ 5, 25

⑥ 6, 30

⑦ 7, 35

⑧ 8, 40

⑨ 9, 45

28쪽

① 40 ② 20

③ 25 ④ 5

⑤ 45 ⑥ 30

⑦ 10 ⑧ 35 ⑨ 15

29쪽

① 9

② 18

③ 27

④ 36

⑤ 45

⑥ 54

⑦ 63

⑧ 72

⑨ 81

30쪽

① 1, 9

② 2, 18

③ 3, 27

④ 4, 36

⑤ 5, 45

⑥ 6, 54

⑦ 7, 63

⑧ 8, 72

⑨ 9, 81

31쪽

① 72

② 45 ③ 9

④ 81 ⑤ 54

⑥ 63 ⑦ 18

⑧ 36 ⑨ 27

32쪽

① 25, 30, 35, 40
45, 54, 63, 72

② 5, 10, 15, 20
9, 18, 27, 36

③ 15, 20, 25, 30, 35
27, 36, 45, 54, 63

④ 35, 40, 45
63, 72, 81

⑤ 10, 20, 30, 40
18, 36, 54, 72

⑥ 15, 25, 35, 45
27, 45, 63, 81

⑦ 5, 10, 15, 20, 25, 30, 35, 40, 45
9, 18, 27, 36, 45, 54, 63, 72, 81

33쪽

① 30 ② 36 ③ 72

④ 45 ⑤ 10 ⑥ 35

⑦ 27 ⑧ 40 ⑨ 63

⑩ 18 ⑪ 15 ⑫ 20

⑬ 54 ⑭ 81 ⑮ 36

⑯ 25 ⑰ 35 ⑱ 63

⑲ 45 ⑳ 27 ㉑ 40

㉒ 30 ㉓ 72 ㉔ 10

34쪽

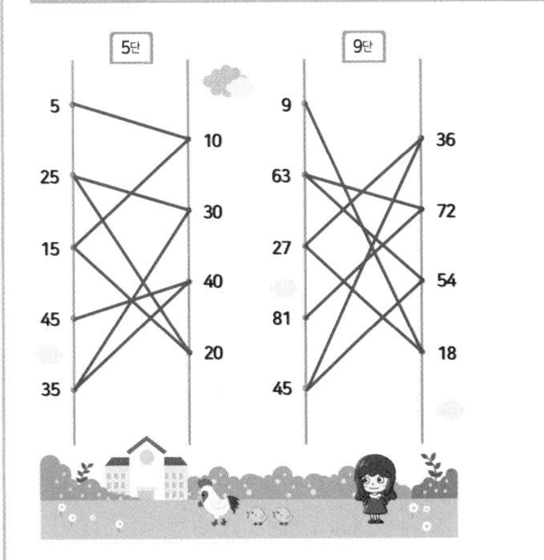

35쪽

5 10 2
25 18
5 45 9

7 35 5
63 20
9 36 4

6 54 9
30 81
5 45 9

9 72 8
27 40
3 15 5

7 35 5
63 40
9 72 8

9 18 2
36 10
4 20 5

36쪽

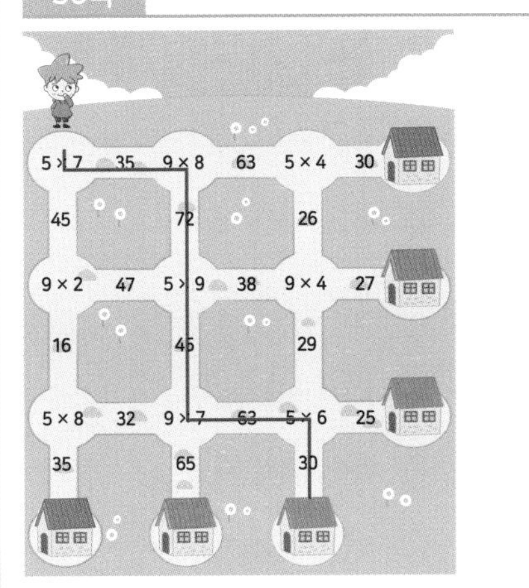

37쪽

① 9×6=54, 54

38쪽

① 5×5=25, 25

② 9×4=36, 36

39쪽

① 5×7=35, 35

② 9×8=72, 72

③ 5×8=40, 40

40쪽

① 5×4=20, 20

② 9×3=27, 27

③ 9×7=63, 63

3주차 - 도전! 계산왕

42쪽

① 72 ② 6 ③ 28

④ 8 ⑤ 10 ⑥ 20

⑦ 12 ⑧ 40 ⑨ 45

⑩ 12 ⑪ 12 ⑫ 35

⑬ 0 ⑭ 9 ⑮ 40

⑯ 16 ⑰ 20 ⑱ 32

⑲ 63 ⑳ 18 ㉑ 30

㉒ 24 ㉓ 18 ㉔ 10

43쪽

① 32 ② 4 ③ 81
④ 16 ⑤ 25 ⑥ 14
⑦ 54 ⑧ 63 ⑨ 28
⑩ 20 ⑪ 2 ⑫ 36
⑬ 18 ⑭ 24 ⑮ 12
⑯ 36 ⑰ 0 ⑱ 30
⑲ 16 ⑳ 45 ㉑ 8
㉒ 6 ㉓ 10 ㉔ 35

44쪽

① 10 ② 18 ③ 24
④ 15 ⑤ 54 ⑥ 16
⑦ 6 ⑧ 36 ⑨ 30
⑩ 35 ⑪ 45 ⑫ 9
⑬ 27 ⑭ 10 ⑮ 18
⑯ 36 ⑰ 14 ⑱ 6
⑲ 20 ⑳ 40 ㉑ 4
㉒ 63 ㉓ 28 ㉔ 72

45쪽

① 63 ② 81 ③ 40
④ 14 ⑤ 30 ⑥ 28
⑦ 45 ⑧ 27 ⑨ 12
⑩ 24 ⑪ 8 ⑫ 36
⑬ 72 ⑭ 36 ⑮ 8
⑯ 10 ⑰ 4 ⑱ 18
⑲ 25 ⑳ 54 ㉑ 32
㉒ 16 ㉓ 35 ㉔ 45

46쪽

① 35 ② 4 ③ 8
④ 18 ⑤ 6 ⑥ 45
⑦ 28 ⑧ 72 ⑨ 16
⑩ 20 ⑪ 54 ⑫ 6
⑬ 14 ⑭ 27 ⑮ 12
⑯ 8 ⑰ 40 ⑱ 30
⑲ 24 ⑳ 20 ㉑ 63
㉒ 81 ㉓ 36 ㉔ 36

47쪽

① 72 ② 14 ③ 20
④ 81 ⑤ 32 ⑥ 25
⑦ 10 ⑧ 15 ⑨ 36
⑩ 16 ⑪ 54 ⑫ 18
⑬ 10 ⑭ 45 ⑮ 18
⑯ 28 ⑰ 35 ⑱ 6
⑲ 12 ⑳ 36 ㉑ 20
㉒ 24 ㉓ 63 ㉔ 40

48쪽

① 18 ② 24 ③ 45
④ 18 ⑤ 30 ⑥ 63
⑦ 16 ⑧ 35 ⑨ 81
⑩ 45 ⑪ 25 ⑫ 72
⑬ 6 ⑭ 20 ⑮ 20
⑯ 36 ⑰ 54 ⑱ 12
⑲ 40 ⑳ 10 ㉑ 14
㉒ 27 ㉓ 2 ㉔ 32

49쪽

① 32 ② 16 ③ 10
④ 30 ⑤ 12 ⑥ 63
⑦ 20 ⑧ 54 ⑨ 3
⑩ 18 ⑪ 24 ⑫ 4
⑬ 10 ⑭ 35 ⑮ 36
⑯ 14 ⑰ 8 ⑱ 81
⑲ 72 ⑳ 18 ㉑ 12
㉒ 14 ㉓ 45 ㉔ 20

50쪽

① 10 ② 10 ③ 30
④ 12 ⑤ 6 ⑥ 72
⑦ 25 ⑧ 35 ⑨ 27
⑩ 24 ⑪ 40 ⑫ 54
⑬ 12 ⑭ 18 ⑮ 63
⑯ 36 ⑰ 15 ⑱ 32
⑲ 12 ⑳ 16 ㉑ 28
㉒ 36 ㉓ 4 ㉔ 20

51쪽

① 18 ② 8 ③ 20
④ 15 ⑤ 12 ⑥ 36
⑦ 24 ⑧ 5 ⑨ 63
⑩ 72 ⑪ 32 ⑫ 18
⑬ 8 ⑭ 16 ⑮ 30
⑯ 10 ⑰ 72 ⑱ 12
⑲ 6 ⑳ 20 ㉑ 27
㉒ 14 ㉓ 25 ㉔ 28

4주차 - 3의 단, 6의 단

54쪽

① 3
② 6
③ 9
④ 12
⑤ 15
⑥ 18
⑦ 21
⑧ 24
⑨ 27

55쪽

① 1, 3
② 2, 6
③ 3, 9
④ 4, 12
⑤ 5, 15
⑥ 6, 18
⑦ 7, 21
⑧ 8, 24
⑨ 9, 27

56쪽

① 24
② 18 ③ 3
④ 21 ⑤ 27
⑥ 6 ⑦ 9
⑧ 12 ⑨ 15

57쪽

① 6
② 12
③ 18
④ 24
⑤ 30
⑥ 36
⑦ 42
⑧ 48
⑨ 54

58쪽

① 1, 6
② 2, 12
③ 3, 18
④ 4, 24
⑤ 5, 30
⑥ 6, 36
⑦ 7, 42
⑧ 8, 48
⑨ 9, 54

59쪽

① 48 ② 24
③ 54 ④ 18
⑤ 42 ⑥ 12
⑦ 30 ⑧ 6
⑨ 36

60쪽

① 15, 18, 21, 24
30, 36, 42, 48
② 3, 6, 9, 12
6, 12, 18, 24
③ 9, 12, 15, 18, 21
18, 24, 30, 36, 42
④ 21, 24, 27
42, 48, 54
⑤ 6, 12, 18, 24
12, 24, 36, 48
⑥ 9, 15, 21, 27
18, 30, 42, 54
⑦ 3, 6, 9, 12, 15, 18, 21, 24, 27
6, 12, 18, 24, 30, 36, 42, 48, 54

61쪽

① 18 ② 42 ③ 27
④ 15 ⑤ 12 ⑥ 36
⑦ 24 ⑧ 6 ⑨ 54
⑩ 24 ⑪ 9 ⑫ 30
⑬ 48 ⑭ 12 ⑮ 21
⑯ 42 ⑰ 27 ⑱ 12
⑲ 15 ⑳ 48 ㉑ 24
㉒ 18 ㉓ 24 ㉔ 36

62쪽

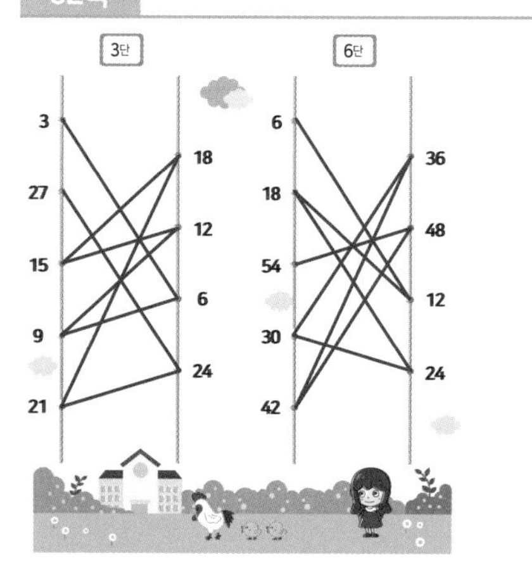

63쪽

① 27 ② 42 ③ 24
④ 15 ⑤ 54 ⑥ 21
⑦ 18 ⑧ 30 ⑨ 48
⑩ 6 ⑪ 12 ⑫ 36
⑬ 9 ⑭ 12 ⑮ 18

64쪽

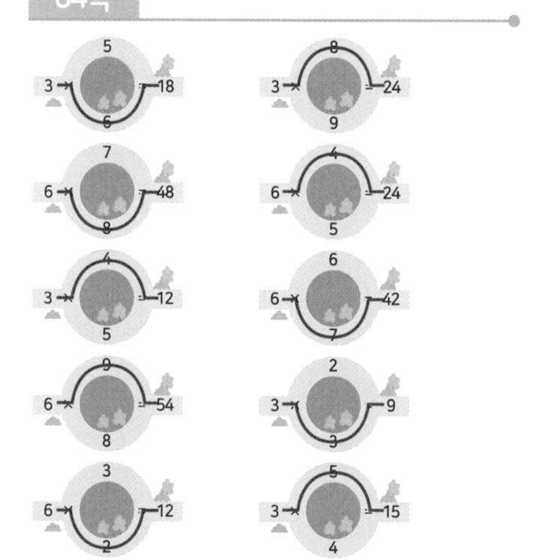

65쪽

① 3×4=12, 12

66쪽

① 6×7=42, 42
② 3×6=18, 18

67쪽

① 6×8=48, 48
② 3×7=21, 21
③ 6×5=30, 30

68쪽

① 3×8=24, 24
② 6×6=36, 36
③ 3×9=27, 27

5주차 - 7의 단, 8의 단

70쪽

① 7
② 14
③ 21
④ 28
⑤ 35
⑥ 42
⑦ 49
⑧ 56
⑨ 63

71쪽

① 1, 7
② 2, 14
③ 3, 21
④ 4, 28
⑤ 5, 35
⑥ 6, 42
⑦ 7, 49
⑧ 8, 56
⑨ 9, 63

72쪽

① 35 ② 14
③ 63 ④ 28
⑤ 7
⑥ 56 ⑦ 49
⑧ 42 ⑨ 21

73쪽

① 8
② 16
③ 24
④ 32
⑤ 40
⑥ 48
⑦ 56
⑧ 64
⑨ 72

74쪽

① 1, 8
② 2, 16
③ 3, 24
④ 4, 32
⑤ 5, 40
⑥ 6, 48
⑦ 7, 56
⑧ 8, 64
⑨ 9, 72

75쪽

① 48 ② 56

③ 72 ④ 64

⑤ 16

⑥ 40 ⑦ 32

⑧ 24 ⑨ 8

76쪽

① 35, 42, 49, 56
40, 48, 56, 64

② 7, 14, 21, 28
8, 16, 24, 32

③ 21, 28, 35, 42, 49
24, 32, 40, 48, 56

④ 49, 56, 63
56, 64, 72

⑤ 14, 28, 42, 56
16, 32, 48, 64

⑥ 21, 35, 49, 63
24, 40, 56, 72

⑦ 7, 14, 21, 28, 35, 42, 49, 56, 63
8, 16, 24, 32, 40, 48, 56, 64, 72

77쪽

① 21 ② 32 ③ 63

④ 42 ⑤ 56 ⑥ 14

⑦ 64 ⑧ 40 ⑨ 72

⑩ 28 ⑪ 24 ⑫ 49

⑬ 48 ⑭ 16 ⑮ 35

⑯ 63 ⑰ 32 ⑱ 28

⑲ 42 ⑳ 21 ㉑ 56

㉒ 14 ㉓ 40 ㉔ 72

78쪽

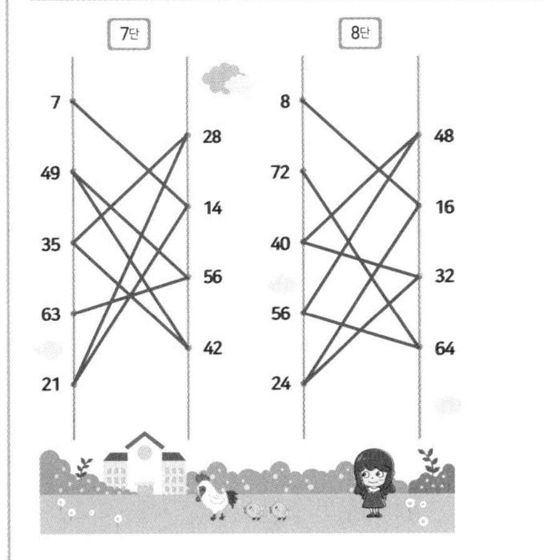

79쪽

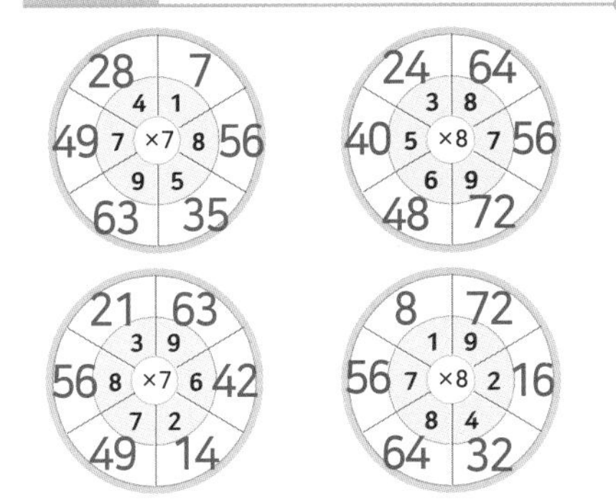

80쪽

7 × 5 = 35	8 × 4 = 32	7 × 6 = 13
7 × 6 = 32	8 × 7 = 56	8 × 9 = 73
7 × 4 = 29	7 × 9 = 63	8 × 2 = 12
7 × 3 = 23	8 × 5 = 40	7 × 6 = 44
8 × 6 = 48	7 × 7 = 49	7 × 5 = 35

7 × 9 = 64	8 × 8 = 64	8 × 3 = 32
8 × 7 = 58	7 × 5 = 35	8 × 2 = 18
7 × 6 = 42	8 × 9 = 72	8 × 5 = 40
8 × 2 = 14	7 × 2 = 14	7 × 4 = 27
7 × 3 = 20	8 × 6 = 48	7 × 5 = 34

81쪽

① 8×5=40, 40

82쪽

① 8×4=32, 32

② 7×3=21, 21

83쪽

① 7×4=28, 28

② 7×2=14, 14

③ 8×6=48, 48

84쪽

① 8×3=24, 24

② 8×7=56, 56

③ 7×9=63, 63

6주차 - 도전! 계산왕

86쪽

① 56 ② 9 ③ 16

④ 6 ⑤ 12 ⑥ 40

⑦ 21 ⑧ 48 ⑨ 54

⑩ 21 ⑪ 36 ⑫ 56

⑬ 18 ⑭ 54 ⑮ 49

⑯ 27 ⑰ 24 ⑱ 64

⑲ 24 ⑳ 14 ㉑ 24

㉒ 35 ㉓ 16 ㉔ 40

87쪽

① 64 ② 9 ③ 63
④ 24 ⑤ 15 ⑥ 42
⑦ 42 ⑧ 16 ⑨ 48
⑩ 30 ⑪ 14 ⑫ 54
⑬ 27 ⑭ 48 ⑮ 36
⑯ 72 ⑰ 48 ⑱ 35
⑲ 56 ⑳ 28 ㉑ 24
㉒ 18 ㉓ 21 ㉔ 49

88쪽

① 6 ② 21 ③ 42
④ 18 ⑤ 36 ⑥ 54
⑦ 9 ⑧ 48 ⑨ 48
⑩ 56 ⑪ 63 ⑫ 27
⑬ 32 ⑭ 30 ⑮ 24
⑯ 24 ⑰ 42 ⑱ 56
⑲ 40 ⑳ 35 ㉑ 12
㉒ 28 ㉓ 14 ㉔ 64

89쪽

① 56 ② 63 ③ 48
④ 21 ⑤ 18 ⑥ 15
⑦ 40 ⑧ 18 ⑨ 27
⑩ 28 ⑪ 24 ⑫ 72
⑬ 32 ⑭ 24 ⑮ 36
⑯ 6 ⑰ 14 ⑱ 54
⑲ 48 ⑳ 21 ㉑ 56
㉒ 64 ㉓ 42 ㉔ 49

90쪽

① 56 ② 14 ③ 16
④ 30 ⑤ 42 ⑥ 72
⑦ 42 ⑧ 24 ⑨ 6
⑩ 24 ⑪ 27 ⑫ 24
⑬ 48 ⑭ 9 ⑮ 18
⑯ 21 ⑰ 8 ⑱ 49
⑲ 36 ⑳ 40 ㉑ 64
㉒ 21 ㉓ 32 ㉔ 54

91쪽

① 48 ② 21 ③ 28
④ 72 ⑤ 56 ⑥ 15
⑦ 40 ⑧ 24 ⑨ 64
⑩ 9 ⑪ 18 ⑫ 54
⑬ 14 ⑭ 42 ⑮ 6
⑯ 42 ⑰ 35 ⑱ 48
⑲ 18 ⑳ 32 ㉑ 36
㉒ 27 ㉓ 56 ㉔ 24

92쪽

① 16 ② 42 ③ 54
④ 72 ⑤ 18 ⑥ 56
⑦ 3 ⑧ 42 ⑨ 28
⑩ 30 ⑪ 15 ⑫ 49
⑬ 24 ⑭ 32 ⑮ 18
⑯ 24 ⑰ 27 ⑱ 9
⑲ 64 ⑳ 14 ㉑ 56
㉒ 24 ㉓ 48 ㉔ 12

93쪽

① 24 ② 36 ③ 35
④ 48 ⑤ 56 ⑥ 21
⑦ 24 ⑧ 21 ⑨ 18
⑩ 12 ⑪ 56 ⑫ 6
⑬ 18 ⑭ 14 ⑮ 64
⑯ 63 ⑰ 16 ⑱ 54
⑲ 49 ⑳ 27 ㉑ 30
㉒ 42 ㉓ 72 ㉔ 28

94쪽

① 6 ② 40 ③ 36
④ 21 ⑤ 24 ⑥ 56
⑦ 48 ⑧ 21 ⑨ 18
⑩ 8 ⑪ 72 ⑫ 42
⑬ 18 ⑭ 16 ⑮ 42
⑯ 12 ⑰ 9 ⑱ 64
⑲ 18 ⑳ 48 ㉑ 15
㉒ 28 ㉓ 32 ㉔ 35

95쪽

① 12 ② 24 ③ 28
④ 24 ⑤ 21 ⑥ 12
⑦ 36 ⑧ 40 ⑨ 15
⑩ 24 ⑪ 64 ⑫ 63
⑬ 14 ⑭ 27 ⑮ 48
⑯ 42 ⑰ 32 ⑱ 49
⑲ 6 ⑳ 30 ㉑ 63
㉒ 54 ㉓ 42 ㉔ 56

총괄 테스트 정답

초등 원리셈 2학년
5권 곱셈구구

총괄 테스트

이름 점수

01 곱셈구구표를 완성하세요.

×	2	4	6	8
1	2	4	6	8
2	4	8	12	16
4	8	16	24	32

02 곱셈구구표를 완성하세요.

×	3	5	7	9
2	6	10	14	18
4	12	20	28	36

03 계산해 보세요.

① $0 \times 4 = 0$ ② $2 \times 3 = 6$

③ $4 \times 9 = 36$ ④ $2 \times 8 = 16$

04 계산해 보세요.

① $1 \times 7 = 7$ ② $4 \times 4 = 16$

③ $2 \times 9 = 18$ ④ $4 \times 7 = 28$

05 강아지 8마리의 다리를 세면 모두 몇 개일까요?

식: $4 \times 8 = 32$

답: 32 개

06 곱셈구구표를 완성하세요.

×	2	3	5	8
5	10	15	25	40
9	18	27	45	72

07 곱셈구구표를 완성하세요.

×	4	6	7	9
5	20	30	35	45
9	36	54	63	81

08 계산해 보세요.

① $9 \times 4 = 36$ ② $5 \times 7 = 35$

③ $9 \times 8 = 72$ ④ $5 \times 5 = 25$

09 계산해 보세요.

① $5 \times 6 = 30$ ② $9 \times 9 = 81$

③ $5 \times 2 = 10$ ④ $9 \times 6 = 54$

10 9명씩 탈 수 있는 자동차 7대가 있습니다. 자동차 7대에 모두 몇 명이 탈 수 있을까요?

식: $9 \times 7 = 63$

답: 63 명

11 곱셈구구표를 완성하세요.

×	3	4	6	9
3	9	12	18	27
6	18	24	36	54

12 곱셈구구표를 완성하세요.

×	2	5	7	8
3	6	15	21	24
6	12	30	42	48

13 계산해 보세요.

① $6 \times 7 = 42$ ② $3 \times 9 = 27$

③ $3 \times 4 = 12$ ④ $6 \times 3 = 18$

14 계산해 보세요.

① $3 \times 6 = 18$ ② $6 \times 6 = 36$

③ $3 \times 8 = 24$ ④ $6 \times 9 = 54$

15 한 상자에 고구마를 6개씩 넣었습니다. 상자 8개에 들어 있는 고구마는 모두 몇 개일까요?

식: $6 \times 8 = 48$

답: 48 개

16 곱셈구구표를 완성하세요.

×	2	5	6	8
7	14	35	42	56
8	16	40	48	64

17 곱셈구구표를 완성하세요.

×	3	4	7	9
7	21	28	49	63
8	24	32	56	72

18 계산해 보세요.

① $7 \times 3 = 21$ ② $8 \times 6 = 48$

③ $8 \times 2 = 16$ ④ $7 \times 7 = 49$

19 계산해 보세요.

① $8 \times 9 = 72$ ② $7 \times 9 = 63$

③ $8 \times 5 = 40$ ④ $7 \times 4 = 28$

20 승희는 하루에 물을 7컵씩 마십니다. 승희가 5일 동안 마신 물은 모두 몇 컵일까요?

식: $7 \times 5 = 35$

답: 35 컵

초등 | 수학 전문가가 만든 연산 교재

원리셈

원리 이해

다양한 계산 방법

충분한 연습

성취도 확인

마술 같은 논리 수학 매직

전 영역에 걸쳐 균형 있는 논리력, 문제해결력 기르기

생각하고 발견하는 수학 로지카

최고 수준 학습을 위한 사고력, 문제해결력 기르기

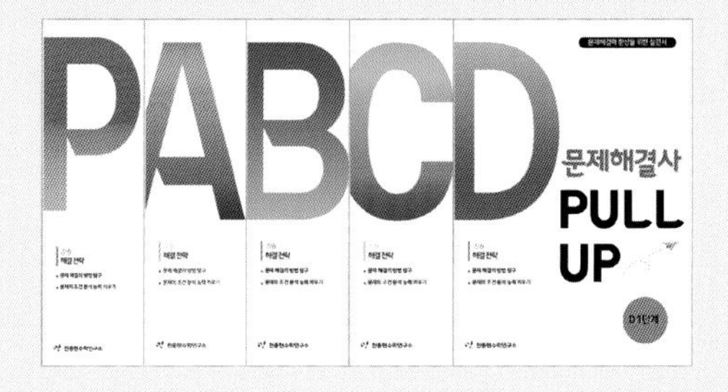

문제해결력 향상을 위한 실전서
문제해결사 PULL UP

학년별 실전 고난도 문제해결을 위한 브릿지 학습

천종현수학연구소의 학원 프로그램, **로지카 아카데미**

"수학으로 세상을 다르게 보는 아이로!"
"생각하고 발견하는 수학, **로지카 아카데미**에서 시작하세요."

20년 차 수학교육전문가 천종현 소장과 함께 생각하는 힘을 기를 수 있는 곳, 로지카 아카데미입니다. 생각하고 발견하는 수학을 통해 아이들은 새로운 세상을 만나게 될 것입니다. 오늘부터 아이의 수학 여정을 로지카 아카데미와 함께하세요.

▶ ▷ ▷ ▷ **로지카 아카데미** www.logicaedu.kr

천종현수학연구소의 교재 흐름도

	4세	5세	6세	7세	초 1
출판 교재					
유자수 · 탑사고력	유아 자신감 수학 3-1 만 3세	유아 자신감 수학 4-1 만 4세	유아 자신감 수학 5-1 만 5세	TOP 사고력 수학 K6 K단계	TOP 사고력 수학 P6 P단계
원리셈		원리셈 5·6세 1권 5, 6세	원리셈 6·7세 1권 6, 7세	원리셈 7·8세 1권 7, 8세	원리셈 1학년 1 초등 1
교과셈					교과셈 교과 수학의 시작! 초등 1
따풀				따라 하면 풀리는 초등 수학 7세 상 7세	따라 하면 풀리는 초등 수학 1-1 상 초등 1
학원 교재					
매직 · 로지카			K1 Math Magic Logic K단계	P1 Math Magic Logic P단계	A1 Math Magic Logic A단계
풀업				P 문제해결사 PULL UP P단계	A 문제해결사 PULL UP A단계